À MUSIQUE CONTEMPORAINE, SUPPORTS CONTEMPORAINS ?

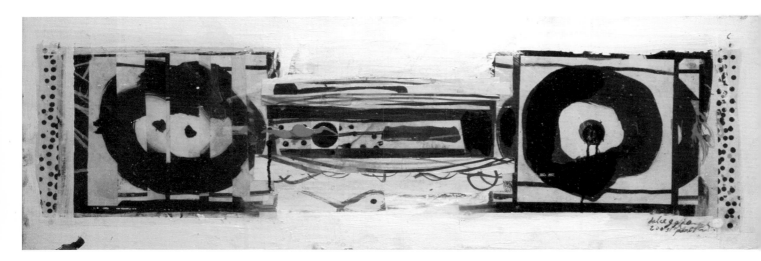

Cérémonie nuptiale 5 (2005, encre et acrylique sur canevas, 12" X 36")

Volume 16, n⁰ 3 (2006)

MUSIQUES CONTEMPORAINES

À MUSIQUE CONTEMPORAINE, SUPPORTS CONTEMPORAINS ?

Sommaire

PORTRAIT : RÉSEAUX DES ARTS MÉDIATIQUES

Éditorial

De la musique, de la contemporanéité et du plaisir

Jonathan Goldman

Un changement de rédacteur en chef constitue pour une revue l'occasion privilégiée de réinterroger son projet.

Je lance donc la question suivante :

Sait-on de quoi on parle lorsqu'on dit « musique contemporaine » ?

En ce qui me concerne, je n'en suis pas sûr — incertitude assurément peu confortable pour le directeur d'une revue de musique contemporaine… La raison n'en est pas seulement attribuable au pluralisme stylistique de l'époque dans laquelle nous vivons. Elle n'est pas entièrement assimilable non plus à ce qu'Adorno a baptisé « le vieillissement de la musique moderne », même si la disparition de trois figures majeures de la musique contemporaine en cinq ans (Berio, Xenakis, et, le 12 juin dernier, Ligeti) pourrait nous le laisser croire.

Non, ce n'est pas son vieillissement qui se fait tellement sentir, mais au contraire, son étonnante pérennité que vingt ans d'assauts critiques contre ses mythes fondateurs et sa vison téléologique de l'histoire n'ont pas réussi à étouffer. Si la place de la musique contemporaine est en marge, disons que c'est une vaste marge ; elle constitue un phénomène global, avec ses ensembles spécialisés, son répertoire, son histoire, ses festivals, sa diversité nationale ou régionale, ses institutions, et — ne l'oublions pas — ses subventions.

Et pourtant, remettre en question la raison d'être de ces institutions reste un leitmotiv du discours sur la musique contemporaine, au moins depuis la parution du *Paradoxe du musicien* de Pierre-Michel Menger en 1983. Prolongeant cette tradition, on a pu lire cette année dans les pages de *Circuit* un commentaire sur une autre publication de Menger, plus récent (2003), mais portant toujours sur « Le public de la musique contemporaine ». L'auteur, Philip Tagg, s'exprime en ces termes :

> Even if [Menger] does not clarify the obvious problem of boredom with the music he discusses — that a novelty is no novelty if constant novelty is the order of the day — his is the first contribution to explicitly mention the chronic innovation anxiety afflicting so many would-be avant-gardists. His passage on « contemporary » music as a particularly incestuous niche market (p. 1176-1177) makes for very salutary reading. It is, I think, high time for someone to write an anthropology of this extraordinary totem group. (Tagg, 2006, p. 103)

Ce même auteur, indiquant comment il chasse l'ennui, cite l'œuvre d'Ennio Morricone comme « *living proof of how, in practice, the problems of musical modernism, over which other contributors agonise for so many pages, are, in a much larger context of everyday musical creativity, not mountains but mole hills* » (*ibid.*, p. 102). Laissant de côté la question de savoir à quel point nous nous délectons face à la « *dorian and minor-pentatonic A section* » du *Good, the Bad and the Ugly* dont l'auteur fait l'éloge, il reste la question de sa prémisse, à savoir que la musique contemporaine est ennuyeuse. Quelques prestations récentes à Montréal me donnent plutôt l'impression contraire (création de Paul Frehner avec le double ensemble de l'ECM et des Norvégiens bit20 ; des créations de Walter Boudreau et de Jean Lesage par le quatuor Bozzini ; *(D')aller* de Philippe Leroux, interprété par le NEM ; *Figures hâtives*, le concerto pour violon de John Rea interprété par l'OSM). Mais ce qui est plus contestable chez Tagg, c'est l'axiome selon lequel la culture de masse serait du côté du plaisir — axiome qui implique en outre de réduire le plaisir, multiple par nature, à un concept monolithique. Il faut s'emparer à nouveau de ce concept, à l'instar d'Arved Ashby, qui consacre un récent recueil à : *The Pleasure of Modernist Music* (2004).

Mais pour revenir au sens du terme « musique contemporaine » soulevé au début, le doute que j'exprime par rapport à son acception est sans doute attribuable à celui (sain) de l'historien devant son objet d'étude, qu'il doit se refuser de considérer comme un objet déjà constitué. Il vaut mieux, en ce qui concerne cette revue, garder une certaine hésitation quant aux frontières qui délimitent notre revue. En particulier, ce n'est pas en tenant pour acquis que la musique contemporaine est née *ex nihilo* en 1945, de compositeurs nés en

1925, que nous allons réussir à bien la circonscrire. Une façon efficace de cerner un objet est justement de s'attaquer à ses marges : c'est ce qu'a fait par exemple Réjean Beaucage, lorsqu'il a dirigé en 2004 un numéro sur Frank Zappa ; de futurs numéros sur les installations sonores ou sur la musique improvisée pourraient avoir la même vertu, celle de nous aider à nous définir. Le but étant d'intégrer une pluralité de courants différents, en les confrontant les uns avec les autres.

*

*   *

Un changement de cap, c'est aussi un moment propice pour mesurer le chemin parcouru par son prédécesseur. En effet, Michel Duchesneau quitte le poste de rédacteur en chef après six bonnes années au service de cette revue. Sous sa direction et grâce à ses efforts infatigables, la revue est passée de deux à trois numéros par an, s'est dotée de nouvelles sections (Portraits, Actualités), a augmenté le nombre de ses abonnés, et, ce qui n'est pas moindre, a retrouvé sa santé fiscale. Sa contribution a été précieuse et il a laissé une empreinte indélébile sur la revue par son professionnalisme, son dévouement et son attention.

Je voudrais également signaler le départ d'un autre membre de notre comité, la compositrice Isabelle Panneton, qui, depuis 1998, alimente nos discussions autour de la table de rédaction. Huit ans de travail à titre bénévole, ça se souligne, et on ne saurait suffisamment remercier Isabelle. Mais je n'ai pas que des départs à signaler : je voudrais souhaiter la bienvenue au sein de notre comité au compositeur Jean Lesage, collaborateur ponctuel à *Circuit* depuis les débuts de la revue (dès le vol. 1, n° 2 en 1991 !). D'autre part, la direction administrative de la revue est désormais assurée, avec un dynamisme réjouissant, par Martine Rhéaume.

Le prochain numéro, vol. 17, n° 1, interrogera le concept « d'idée musicale », dans le double sens de point de départ antérieur à l'œuvre et d'idée germinale active *dans* l'œuvre ; il comprendra des contributions, entre autres, d'Antoine Bonnet, François Delalande et Antonia Soulez, ainsi qu'un entretien inédit avec Helmut Lachenmann. Quant au vol. 17, n° 2, il examinera le développement de la musique moderne et contemporaine dans l'« autre » Amérique, celle de l'hémisphère Sud.

Que reste-t-il à dire, à part « au plaisir » ?

Jonathan Goldman

Montréal, le 15 août 2006

BIBLIOGRAPHIE

Ashby, Arved (éd.) (2004), *The Pleasure of Modernist Music*, Rochester, University of Rochester Press.

Menger, Pierre-Michel (1983), *Le Paradoxe du musicien : le compositeur, le mélomane et l'État dans la société contemporaine*, Paris, Flammarion ; rééd., Paris, L'Harmattan, 2001.

Menger, Pierre-Michel (2003), « Le public de la musique contemporaine », *in* Musiques : une encyclopédie pour le XXIe siècle, Jean-Jacques Nattiez (éd.), vol. I, p. 1169-1186.

Tagg, Philip (2005), « compte rendu de Musiques : *une encyclopédie pour le XXIe siècle, vol. I, Musiques du XXe siècle* », *Circuit : musiques contemporaines*, vol. 16, n° 1, p. 97-119.

Introduction

Quelques sillons…

Jonathan Goldman

La période entre les deux guerres a été un moment privilégié de réflexion sur les implications, tant esthétiques que socioculturelles, des nouveaux modes de captation et de diffusion du son musical. La radiodiffusion en particulier a suscité de vifs débats, notamment en Allemagne, sur les caractéristiques d'une œuvre « radiogénique ». Il était postulé qu'à ce nouveau mode de diffusion correspondrait un nouveau type d'œuvre, rendant compte des implications de la nouvelle situation d'écoute induite par cette technologie. Un premier colloque sur la musique à la radio eut lieu à Göttingen en 1928 ; s'ensuivit un vif débat sur les traits caractéristiques de l'œuvre faite expressément pour la diffusion radiophonique. L'année suivante, la revue *Melos* publia une série d'analyses sur la musique de radio (L'Écuyer, 2003, p. 966), sans doute sous l'influence du fondateur de la revue, Hermann Scherchen, nommé directeur musical de la radio de Königsberg en 1928. Puis, dans un même ordre d'idées, le compositeur allemand Max Butting écrivit à cette fin une *Musique pour orchestre radiophonique* ; Butting y était soucieux d'insérer des « pauses et points d'arrêt pour aérer la circulation », détails apparemment souhaitables pour une radiodiffusion réussie. De son côté, en 1930, le musicologue André Cœuroy (1930) plaida pour la nécessité d'un « Traité d'harmonie et d'orchestration pour les musiciens radiophoniques » (L'Écuyer, 2003, p. 966).

Après la guerre, la situation est quelque peu différente. L'introduction du disque microsillon, le LP à 33 tours capable d'emmagasiner de 20 à 30 minutes de musique par face, permet la fabrication de disques contenant des œuvres d'envergure. Devant cette invention, les compositeurs de musique d'avant-garde ainsi que les musicologues se sont-ils à leur tour suffisamment interrogés, à l'instar de Butting et de Cœuroy un quart de siècle plus tôt, sur le type de musique qui conviendrait à la nouvelle situation d'écoute domestique d'œuvres de longue durée ? Un débat sur les traits saillants de la musique « discogénique » a-t-il réellement eu lieu ? Tout porte à croire que non, pour peu que l'on fasse sien le diagnostic de Réjean Beaucage selon lequel, même en 2006, la plupart des compositeurs ne prendraient pas en compte dans leurs œuvres l'invention de l'électricité !

Prendre un tel parti serait oublier, certes, la portée de l'héritage de la musique concrète schaefferienne. Une démarche compositionnelle axée sur les sons « fixés », d'abord sur disque, ensuite sur bande, revendiquait explicitement une musique conçue en fonction du support. Une telle problématisation du support se retrouve-t-elle du côté des compositeurs de musique (principalement) instrumentale, qui se devaient de réfléchir sur leur musique tout aussi électronique puisque « endisquée » ? Certains, dont Pierre Boulez, ne voyaient pour le disque d'autre vocation que celle du document : comme légitime accompagnement de la partition, comme aide-mémoire servant à la transmission d'une tradition musicale, ainsi que comme trace matérielle du concert à des fins archivistiques. Pour Boulez, se trouvant dans la position enviable d'être à la fois compositeur et interprète de prestige de ses propres œuvres, les enregistrements qui portent son imprimatur font en quelque sorte office de documents « canoniques » ; en cela Boulez ressemble quelque peu à Stravinsky, qui tenait à ce que « l'on consulte ses propres enregistrements pour que l'on s'en tienne à leur valeur unique de documents et que l'on s'y réfère obligatoirement » (Boulez, 2005, p. 473), mais qui — selon Boulez — n'y arrivait pas, faute de métier. Toutefois, pour Boulez, tout comme pour Stravinsky, le disque, et sa diffusion en haut-parleurs, est *document*, et n'est nullement une façon radicalement nouvelle d'accéder à la musique. Même un compositeur aussi aventureux dans son travail sur l'électronique que Jonathan Harvey — qui par ailleurs fait l'éloge, dans l'entretien publié dans ce numéro, des expériences de Stockhausen avec la microphonie au service de la spatialisation du son dans *Kontakte* — avouera :

> Je n'ai jamais écrit une œuvre *pour* CD. Même les œuvres sur bande magnétique, je les imagine dans une grande salle. Car il y a quelque chose de splendide dans le fait d'être dans un grand espace et de pouvoir écouter les voix d'une œuvre multipiste se déployer dans cet espace (p. 78 de ce numéro, notre traduction).

En fait, dans l'avant-garde musicale de l'après-guerre, et particulièrement dans son incarnation darmstadtienne, Henri Pousseur fait certainement figure d'exception en ce qu'il a perçu, dès les années 1950, que la chaîne audio ouvrait des perspectives nouvelles pour l'interaction entre compositeur et auditeur. Anticipant de neuf ans les propos futurologiques analogues d'un Glenn Gould dans « The Prospects of Recording » (1966), Pousseur écrit :

Les modes d'écoute typiquement contemporains, la radio et le disque, même lorsqu'ils sont encore au service du langage classique, témoignent d'un nouvel état des rapports sociaux artistiques. L'auditeur de disque peut écouter ce qu'il veut quand il le veut et l'auditeur de radio est libre d'allumer ou d'éteindre son récepteur, et de le régler sur la longueur d'onde de son choix. C'est un point de départ, à partir duquel d'autres libertés vont pouvoir s'élaborer. Il suffira, par exemple, que l'amateur puisse employer à domicile un petit dispositif pas très coûteux pour qu'il puisse régler lui-même manuellement, pour qu'il puisse improviser, expérimenter, *composer* sa petite stéréophonie personnelle (d'œuvres qui auront éventuellement été prévues à cet effet). Ou bien la musique lui sera fournie en plusieurs couches, ou en plusieurs sections successives, dont il pourra déterminer lui-même la superposition (pour quoi il faudra évidemment plusieurs enregistreurs ou plusieurs tourne-disques) ou l'ordre de succession. Ce sont là quelques exemples de l'évolution possible d'une pratique musicale « privée », laquelle évolution nous semble bien capable d'aiguiser considérablement l'attention auditive, de promouvoir une participation beaucoup plus active, beaucoup plus profonde à la réalité de l'œuvre écoutée. Insistons sur le fait que seul le nouveau langage [post-webernien], en vertu de son intégrale non-causalité est susceptible de rendre possibles ces formes inédites de délectation musicale. (Pousseur, 1957, dans 2004, p. 92-94[1])

S'il est incertain que la rencontre entre les compositeurs d'avant-garde et l'invention d'une musique pour disque ait eu lieu, il ne l'est nullement du côté des studios de musique industrielle, avec le musicien pop (symbolisé, peut-être, par Mick Jagger, testant les nouvelles chansons des Rolling Stones dans la chaîne de sa voiture avant de les mettre sur le marché). Ce manque de théorisation a peut-être contribué à ce que certains soient d'avis — teint d'un pessimisme adornien — que les appareils existant pour la diffusion du son sont mal adaptés à la musique contemporaine :

La radiophonie, ce masque étonnant dont la bouche est un haut-parleur de 7,5 cm, ne laisse passer — lorsqu'il s'agit de musique — que la mélodie renforcée. Et les ingénieurs du son, qu'ils soient au service de la radio ou de compagnies d'enregistrement, connaissent très bien ce phénomène psycho-physiologique de l'acoustique. En effet, leur équipement le plus sophistiqué est toujours manipulé afin de confirmer ce principe de base et de s'y conformer : gardons-le clair et simple, où « le » se rapporte à l'air et à ce qui le transmet, soit une voix chantée, une guitare électrique ou l'une ou l'autre des deux sections de violon d'un orchestre. L'industrie du disque autant que les radiodiffuseurs sont très impliqués dans un gigantesque travail de

1. Un commentaire de ce même passage figure dans Donin 2005, p. 41-42.

dissimulation. Après tout, *ars est celare artem* (l'art est de déguiser l'art). Ainsi, puisqu'il y a peu de chances que se produisent, à l'avenir, d'importants changements dans la façon que la plupart des gens captent leur musique, c'est-à-dire grâce à des haut-parleurs plus grands et efficaces que ceux de 7,5 cm (malgré la venue de la radio numérique et de prétendus systèmes de divertissement pour la maison, conçus pour reproduire les sons tonitruants des discothèques), le masque de 7,5 cm, et, par extension inévitable, le médium même de la radio, continuera d'asséner son pouvoir magique et déformant à l'expression, au goût et à l'éducation musicaux dans tout pays où existe la radio, ce qui est, bien sûr, partout. (Rea, 2003, p. 1363)

Si John Rea séduit, certes, avec sa « théorie du haut-parleur de 7,5 cm », il traite le cinéma maison trop sommairement (peut-être parce que le texte a été rédigé en 2001). Des possibilités pour un élargissement de l'écoute grâce aux systèmes de cinéma maison seront explorées dans les articles de Hugues Vinet et Réjean Beaucage et seront également abordées dans l'entretien avec Jonathan Harvey, et dans l'historique de Pierre Filteau.

Notre motivation pour la réouverture dans ce numéro d'un questionnement sur les rapports entre la musique contemporaine et ses supports tient au fait que nous fassions aujourd'hui face à un avenir « post-disque ». Les lamentations sur la mort du disque classique inondent la presse généraliste depuis plusieurs années ; en est symptomatique ce *Requiem for the classical* CD que lançait le critique anglais Norman Lebrecht déjà en 2001 :

> The classical record is almost played out. The five big labels that command five-sixths of world sales have lost the will to produce. The minnows that swim between their cracks have lost the means to survive. This summer, it looks as if the game is up. (Lebrecht, 2001)

Par ailleurs, pendant la rédaction de ce numéro, le département « classique » de la maison de disques Warner a fermé ses portes, emportant avec lui ses filiales Erato, Teldec et Apex (Lebrecht, 2006). Mais la fermeture d'un point d'accès (le disque) nous invite à réfléchir sur l'avenir du support de la musique contemporaine. C'est pourquoi au début du XXIe siècle, de nouveaux supports ouvrent la possibilité de nouvelles situations d'écoute, et, pourquoi pas, un intérêt renouvelé chez le compositeur d'aujourd'hui à concevoir et réaliser sa musique en fonction de ces nouvelles technologies.

Ce numéro explore les différents formats à travers lesquels l'auditeur a pu avoir accès à la musique de son temps au cours du XXe siècle, et ce qui pourra l'attendre dans l'avenir proche. Alors que certains « points d'accès » risquent d'être en voie de disparition (le concert acousmatique, la radiodiffusion de concert de musique contemporaine), d'autres semblent s'ouvrir (le DVD opéra, la distribution numérique, les radios Internet, les DVD interactifs, de nouveaux dispositifs pour stocker, rechercher et trier des données musicales). Ce numéro tente donc une « troisième voie », pour emprunter les termes du texte de Bernard Stiegler inclus dans ces pages : ni « technophobes » ni « technophiles », nous nous situons quelque part entre une lamentation « bartokienne » des ravages qu'a fait la diffusion mécanique du son à l'échelle globale (« Le mal serait […] que la musique mécanique inonde l'univers au détriment de la musique vivante ») et une position plus « gouldienne » (préconisant les « possibilités de participation qui seront offertes à l'auditeur lorsque les actuelles techniques très sophistiquées de laboratoire seront intégrées aux appareils domestiques ») qui voit dans la technologie la possibilité de détendre le « joug » de la musique industrielle.

Quant aux contributions au numéro, en guise d'entrée en matières, **Pierre Filteau**, un intervenant de l'industrie du disque canadien et un audiophile averti, propose un historique des différents supports audio utilisés au cours du XXe siècle. C'est ensuite le philosophe **Bernard Stiegler**, dans l'article qui vient d'être cité, qui sondera les conséquences profondes pour la musique de son entrée dans l'ère « machinique » du son, avec comme corollaires, la « désinstrumentalisation des oreilles » et la possibilité d'une écoute analytique, menant vers les moyens numériques qui permettent « une nouvelle projection graphique du temps musical ». Pour sa part, **Réjean Beaucage**, coordonnateur du numéro, explore les dividendes potentiels de la récente conjonction image/son en s'inspirant d'un article de 1950 de Jean-Wilfrid Garrett, qui déplorait la non-rencontre entre les compositeurs de musique contemporaine et les développements technologiques. **Nicolas Donin** fait le bilan de divers projets en cours menés par son groupe de recherche (l'équipe « Analyse des pratiques musicales » à l'Ircam), projets portant sur des modes de présentation interactifs de la musique contemporaine et visant une écoute *informée* grâce à cette nouvelle « prothèse » qu'est l'ordinateur. **Hugues Vinet**, directeur du secteur Recherche et Développement à l'Ircam, décrit le projet SemanticHIFI en cours de réalisation, qui, en concevant la chaîne interactive de l'avenir, apparaît comme une réponse — à un intervalle d'un demi-siècle — à l'appel lancé par Gould dans son « Prospects ». Mais notre accès à la musique est déterminé également par notre corps, qui à son tour se retrouve dans un espace déterminé ; la spatialisation, ou la *musicalisation* de paramètres spatiaux, ainsi que la mise en mouvement des sons, se révèle une préoccupation majeure de **Jonathan Harvey**, un compositeur qui chevauche habilement les univers électronique et instrumental. Dans l'entretien publié ici, Harvey réfléchit sur les conditions d'écoute à domicile, en particulier le cinéma maison.

Toutefois, le support audio ne condamne pas forcément le concert à l'obsolescence, malgré ce que Gould a pu dire à ce propos. C'est pourquoi le pianiste et compositeur **Marc Couroux** décrit quelques-unes de ses prestations récentes qui font un effort conscient pour sortir du cadre du rituel du concert traditionnel. Dans le dernier article du dossier thématique, le musicologue **Jean Boivin** s'insurge contre Espace musique, successeur insipide de la chaîne culturelle de Radio-Canada, qui laisse peu de place à la musique classique ou contemporaine (au profit de la chanson et d'une *World Music* tendant vers le *easy listening*) et renonce par ailleurs à sa vocation pédagogique. Nous publions des extraits de son essai, né d'une lettre adressée à des quotidiens québécois, mais jamais publiée ; l'article est reproduit *in toto* sur le site de *Circuit* <www.revuecircuit.ca/web> de façon à ce qu'il puisse susciter des réactions de lecteurs qui seront éventuellement publiées sur le site.

Ce numéro comporte ensuite une rubrique « Portrait » consacrée non pas à un compositeur, comme cela a souvent été le cas par le passé, pas même à un individu, mais plutôt à une société de concerts, *Réseaux des arts médiatiques*, qui, après 15 ans de dévouement, notamment, au concert de musique acousmatique, méritait d'être saluée. Le portrait compte également un entretien réalisé par **Maxime McKinley** avec le compositeur **Francis Dhomont**, pionnier de l'électroacoustique et ardent défenseur de ce type de concert qui n'offre « rien à voir ». Par ailleurs, des extraits sonores d'œuvres des trois électroacousticiens fondateurs de cette société se trouvent dans la rubrique des « exclusivités web » de notre site internet <www.revuecircuit.ca/web>.

Pour conclure, s'interroger sur le support équivaut à réfléchir sur les *accès* (contemporains) à la musique (contemporaine). Cette conversation que nous souhaitons provoquer ne pourra sans doute pas se passer des idées de l'économiste et « futurologue » Jeremy Rifkin, auteur de *The Age of Access* (2000), et par ailleurs souvent cité par Bernard Stiegler. Il rappelle que, jusqu'ici, les

> droits de propriété étaient simplement censés tracer la limite entre mes possessions et celles de mes semblables, tandis que la logique de l'accès pose un problème culturel bien plus vaste, celui du contrôle de l'expérience. (Rifkin, 2000, dans 2002, p. 356)

Comment la création musicale ne serait-elle pas affectée par la révolution des conditions dans lesquelles nous en ferons l'expérience ?

BIBLIOGRAPHIE

Boulez, Pierre (2005), *Leçons de musique, Points de repères III*, Paris, Christian Bourgois éditeur.

Cœuroy, André (1930), *Panorama de la radio*, Paris, Kra.

Donin, Nicolas (2004), « Le travail de la répétition. Deux dispositifs d'écoute et deux époques de la reproductibilité musicale, du premier au second après-guerre », *Circuit : musiques contemporaines*, vol. 14, n° 1, p. 53-86.

Donin, Nicolas (2005), « Première audition, écoutes répétées », *L'inouï, revue de l'Ircam*, n° 1, p. 31-47.

GOULD, Glenn (1966), « The Prospects of Recording », *High Fidelity Magazine*, vol. 16, n° 4, April 1966, p. 46-63 ; repris partiellement dans *Id.*, *The Glenn Gould Reader*, Tim Page (éd.), New York, Vintage Books, 1984, p. 331-353 ; repris en ligne, <http://www.collectionscanada.ca/4/23/m23-502.1-e.html>.

HAINS, Jacques (2001), « Du rouleau de cire au disque compact », *Musiques. Une encyclopédie pour le XXIᵉ siècle*, Jean-Jacques Nattiez (éd.), vol. I, *Musiques du XXᵉ siècle*, Paris, Actes Sud/Cité de la musique, p. 901-938.

LEBRECHT, Norman (2001), « Requiem for the classical CD », *La Scena Musicale*, 5 novembre, <http://www.scena.org/columns/lebrecht/010704-NL-CD.html>.

LEBRECHT, Norman, (2006), « Another record crash », *La Scena Musicale*, 12 juin, <http://www.scena.org/columns/lebrecht/060612-NL-crash.html>.

L'ÉCUYER, Sylvia (2001), « La musique classique à la radio », *Musiques. Une encyclopédie pour le XXIᵉ siècle*, Jean-Jacques Nattiez (éd.), vol. I, *Musiques du XXᵉ siècle*, Paris, Actes Sud/Cité de la musique, p. 954-968.

POUSSEUR, Henri (1957), « La nuova sensibilità », *Incontri musicali*, 1958, n° 2, p. 3-37 ; orig. fr. « La nouvelle sensibilité musicale », *Idem*, *Écrits théoriques 1954-1967*, P. Decroupet (éd.), Sprimont, Mardaga, 2004, p. 61-94.

REA, John (2003), « Postmodernisme(s) », *Musiques. Une encyclopédie pour le XXIᵉ siècle*, Jean-Jacques Nattiez (éd.), vol. I, *Musiques du XXᵉ siècle*, Paris, Actes Sud/Cité de la musique, p. 1347-1378.

RIFKIN, Jeremy (2000), *The Age of Access : the new culture of hypercapitalism, where all of life is a paid-for experience*, New York, J. P. Tarcher/Putnam ; trad. fr., *L'âge de l'accès*, Paris, Éd. La Découverte, 2002.

Intuition (2006, encre et acrylique sur canevas, 76" X 96")

PIERRE FILTEAU

Un historique des formats de reproduction

La genèse des simulacres

Parler, écrire, c'était, par définition, communiquer d'une certaine façon. Écrire une lettre, lire un livre, parler à un ami, à des personnes, à une assemblée, c'était se côtoyer, c'était éprouver un certain type de relations humaines. Parler à la radio, se montrer à l'écran, et à bien d'autres foules, ou encore à cet auditeur solitaire, ce spectateur inconnu, c'est tout à fait changer de civilisation sans qu'il n'y paraisse. C'est ce simulacre de présence et de conversation, ce nouveau conditionnement des hommes entre eux qui est en question, sans que personne encore s'en aperçoive vraiment. (Schaeffer, 1970, p. 311-312)

Cette citation de Pierre Schaeffer démontre la transformation historique qu'ont connue les différentes formes de communication que sont le texte, le son et l'image. Comment les individus en venaient-ils à être en contact avec la musique dans cette « ancienne » civilisation ? Ce qui est certain, c'est que le contact avec la musique était alors beaucoup moins fréquent.

Herman Sabbe, dans son essai intitulé *La musique et l'Occident*, résume en ces termes les grandes étapes de diffusion qui ont conduit à ce qu'il qualifie de nappe sonore qui recouvre notre monde :

> Il fut un temps où le seul support de toute musique était le cerveau, la mémoire humaine. […] La musique ne pouvait se faire que *in presentia* : l'auditeur se trouvait en présence — c'est-à-dire à distance d'audibilité — du musicien (auditeur et musicien réunis, le cas échéant, en une seule et même personne). Sans intermédiaire aucun. L'écoute ne pouvait se faire qu'à l'instant même où les sons étaient émis par un acte humain immédiat, par l'acte premier d'une musique. […] [La musique était] l'incarnation même de l'éphémère : une présence qui s'évanouit dans l'instant même où elle s'énonce, insaisissable. (Sabbe, 1998, p. 7)

Ensuite, l'homme mit au point la notation. La musique pouvait être pensée, puis écrite. Puis grâce à Petrucci, qui fut associé à Gutenberg, et à son procédé d'impression des œuvres musicales datant de 1501, la musique pouvait désormais être mise en partie (partition) et diffusée. Neumes ou partition, la musique en était toutefois réduite à l'état de signes ;

l'œuvre était toujours muette, la musique se faisait toujours *in presentia*.

Edison réussit à fixer sur support non seulement l'empreinte du son, mais aussi sa substance, dont la vibration gravée par mouvement analogique sur le cylindre est la réplique. Les principes d'enregistrement et de lecture ont été par la suite perfectionnés, notamment par Emile Berliner, concepteur du gramophone; c'est cet appareil qui donnera naissance à l'industrie de la diffusion de la musique par le disque.

Ces premières machines sonores peuvent paraître de nos jours comme des objets de musée, mais peut-on imaginer qu'avant cette époque il était impossible d'entendre sa propre voix ou son propre jeu? Certes, quelques machines telles que le *pianola* et autres pianos mécaniques ont permis de capter le jeu des Saint-Saëns, Grieg, Ravel, Gieseking, notamment. Les appareils jouaient ensuite *à la manière de*; on n'entendait pas l'interprète lui-même.

Commercialement disparu en 1927, le phonographe aura cependant été le premier objet intermédiaire entre le musicien et l'auditeur. Bien que supplanté par le gramophone à cette date, la métamorphose qu'il opère est profonde et le monde de la musique ne peut dorénavant plus être le même. Rappelons que le télégraphe, inventé par Claude Chappe (1791), représentait au début du XIXe siècle l'une des plus grandes innovations en matière de communication. Mais c'est à partir de la seconde moitié du XIXe siècle que les inventions et innovations se multiplient dans les domaines — alors reliés — de la communication et de la reproduction du son et de l'image. Par la suite, Antonio Meucci met au point en 1849 un *télégraphe sonore*, appareil qui transforme l'électricité en sons. Malade, il lui est impossible de renouveler son brevet à son échéance en 1874. C'est Graham Bell qui, connaissant l'appareil de Meucci, dépose une demande de brevet en 1876. Il sera déclaré inventeur du *téléphone* au détriment de Meucci. Edison, avec l'aide d'un assistant, tentera,

quelques années après l'invention de son *phonographe*, de joindre l'image au son en travaillant sur le *kinétoscope*, un travail qui n'aboutira pas. Au même moment, l'Américain Oberlin Smith cherche à enregistrer sur un fil d'acier le signal électrique du téléphone, idée qu'il abandonne en 1888. Elle est reprise par Vladimir Poulsen qui présente son *télégraphone* en 1900; ces travaux lui valent d'être reconnu comme l'inventeur du magnétophone. Paul Nipkow, inventeur allemand, travaille alors sur un procédé de reproduction mécanique de l'image, sorte de télévision mécanique. Guglielmo Marconi dépose un brevet de téléphonie sans fil en 1896 et émet un bref signal en code morse entre l'Angleterre et Terre-Neuve en 1901, donnant naissance à la TSF. On l'appellera plus tard radio lorsqu'on y adjoint la voix et l'amplification électrique à l'aide de la triode. En 1908, le major Lee De Forest, inventeur de la lampe à vide et de la triode, diffuse un récital de Caruso à partir de la tour Eiffel, à Paris. Il est désormais possible d'entendre la voix des plus illustres chanteurs et chanteuses, tels Enrico Caruso ou Adelina Patti, sans avoir à quitter son salon.

La recherche sur la captation de l'image et de son mouvement est également en cours. C'est en 1895 que les frères Louis et Auguste Lumière mettent au point le *cinématographe*. Deux ans plus tard, l'Allemand Karl Ferdinand Braun perfectionne le tube cathodique, indispensable à la reconstitution de l'image lorsqu'elle pourra être diffusée (télévision). En cette fin de siècle, le son peut donc être enregistré et reproduit ou être capté et diffusé. L'image muette projetée en salle était accompagnée par des musiciens, *in presentia*. Il faudra attendre le XXe siècle avant que l'image cinématographique ne soit accompagnée du son (le *cinéma parlant*) et diffusée par la NBC et la BBC à compter de 1928.

Pierre Schaeffer considérait que la photographie, la phonographie, le cinéma, la radio et la télévision formaient un vaste ensemble de moyens d'expression et de communication qu'il regroupait sous l'appellation générale d'*arts-relais* :

> Ce qu'ils ont en commun, c'est de manipuler ce qu'on pourrait aussi bien nommer des « empreintes » de l'univers à trois dimensions que les simulacres d'une présence temporelle : l'image électronique éphémère, tout comme l'image que fixe la pellicule du cinéma, de l'image sonore fixée par le disque ou la bande magnétique, ou transmise sans enregistrement par la chaîne électroacoustique qui va du micro au haut-parleur, ne sont pas, quoi qu'on puisse dire, des reproductions du réel. Ce sont des trompe-l'œil, des illusions, non d'optique, mais d'existence. (Schaeffer, 1970, p. 22)

Avec ces formes d'art naît également un nouveau type d'écoute : l'*écoute acousmatique*, c'est-à-dire l'écoute d'un bruit dont on ne peut voir la source (Schaeffer, 1966).

De la machine parlante au baladeur numérique : 130 ans de machines sonores

D'objets à trois dimensions qu'on peut voir mais aussi palper, d'événements audio-visuels se déroulant génériquement dans le même espace-temps et liés par lui, la machinerie des arts-relais nous offre une version revue et corrigée, quoique spécifique, qu'on appelle selon le cas photographie, plan ou séquence, enregistrement continu ou montage, ou, d'une manière plus générale, image sonore ou visuelle. […] Le public, mais aussi bien des professionnels, ont négligé cette évidence. Mettant tout l'accent sur la fidélité de la « reproduction », ils refusaient le paradoxe selon lequel la réalité ainsi traitée était à la fois semblable et toute différente. (Schaeffer, 1970, p. 23)

Mark Katz (2005) identifie sept traits caractéristiques de ce qu'il a appelé l'effet de l'enregistrement phonographique sur l'écoute musicale. Ces technologies ont affecté nos rapports en ce qui concerne la tangibilité, la temporalité, la portabilité, l'invisibilité, la réceptivité, la répétition et la manipulation de la musique. Le son dans un premier temps est devenu tangible, palpable. On peut le tenir dans les mains sous forme de cylindre, disque microsillon, bobine à ruban, cassette, disque compact, etc. L'enregistrement, par sa durée, a imposé un cadre rigide aux musiciens : la temporalité. Une composition peut être écourtée, tronquée ou découpée afin de s'inscrire dans un format dont la durée est fixe. Les durées possibles ont passé de 2 minutes (cylindre) à 79 minutes (disque compact). Le DVD vidéo quant à lui peut inclure plus de 3 heures de musique et d'images. Une fois métamorphosée en objet, la musique enregistrée a pu être transportée et diffusée dans de tout nouveaux lieux et contextes. Les musiciens qui se sont confiés à la machine sont devenus invisibles à notre regard tout comme les auditeurs sont devenus invisibles pour les interprètes. Le rapport entre les musiciens et les auditeurs a donc lui aussi changé. Le musicien enregistre dans une salle vide et l'auditeur écoute soit dans le confort de son salon ou avec son baladeur, séparés par le temps et par la manipulation du contenu. Les enregistrements effectués au cours de la première moitié du XXe siècle, bien que souvent réalisés par section, étaient somme toute fidèles à l'interprétation. Avec l'introduction du magnétophone dans les studios d'enregistrement, il devenait possible de manipuler le contenu. L'exemple typique est sûrement celui des derniers enregistrements de Glenn Gould. Montages sonores réalisés à partir de différentes séances d'enregistrement, la reproduction d'une interprétation ne reflète plus une réalité mais bien un idéal. Par exemple, un enregistrement de 5 minutes en continu peut aujourd'hui être le résultat de 60 segments de montage. Pour comprendre ce qui a rendu possible ce type de pratique, un retour dans le temps s'impose.

Du cylindre au microsillon

C'est en 1807 que le jeune scientifique britannique Thomas Young enregistre pour la première fois les vibrations d'un corps solide sur un cylindre enduit de noir de fumée. Cinquante ans plus tard, Léon Scott de Martinville enregistre le mouvement vibratoire du son émis par la voix ou par un instrument à l'aide de son *phonautographe*. Ayant travaillé toute sa vie à essayer d'extirper le son tracé sur un cylindre enduit de noir de fumée, il ne peut qu'être le témoin de l'exploit que réussit Thomas Alva Edison en 1877 avec la première « machine parlante » de l'histoire, le *phonographe*. Edison avait combiné les principes de fonctionnement du *phonautographe* (gravure sur cylindre par embossage d'une feuille d'étain appliquée sur le cylindre), le mouvement du microphone du *téléphone* (1876) et la lecture du sillon gravé par une aiguille. Le son peut alors s'inscrire dans la matière et être reproduit. Sa reproduction est primaire, mais la musique est métamorphosée en produit.

Edison entrevoit une dizaine d'applications à son invention ; l'enregistrement de la musique faisant partie de la liste. Ne parvenant à vendre que 500 de ses machines parlantes au cours de la première année suivant son invention, il se tourne vers d'autres travaux. Vers 1880, Graham Bell reprend la recherche sur l'enregistrement en s'associant à son cousin Chichester Bell, chimiste réputé, et à Charles Sumner Tainter. Après avoir apporté nombre d'améliorations à l'appareil d'Edison, ils déposent une demande de brevet pour le *graphophone*, un appareil amélioré gravant le son verticalement dans de la cire enduite sur un cylindre de papier. Le rendement est jugé nettement supérieur. Dans le but d'éviter une guerre commerciale, l'appareil est présenté à Edison avec la proposition d'une association. Cependant, celui-ci refuse et se remet au travail. Il met au point deux appareils, l'un fonctionnant mécaniquement et l'autre avec des accumulateurs. La première guerre de standards d'enregistrement était engagée : le phonographe, lui aussi amélioré, contre le graphophone. Dans les deux cas, l'enregistrement se fait sur cylindre et il est difficile à reproduire en série. En 1881, Emile Berliner met au point un appareil dont le mécanisme de gravure latérale sur disque s'inspire d'un principe exposé par Charles Cros dans une lettre déposée à l'Académie des sciences de Paris en 1877 et dans laquelle il y décrit un appareil nommé *paléophone*. Présenté d'abord comme un jouet, le *gramophone* de Berliner ne connaît pas de succès, du moins pas sous sa première forme. De retour d'Allemagne en 1891, il s'y prend autrement pour le relancer. Particularités du procédé de Berliner, l'enregistrement et la gravure se font sur une surface plane, rendant possible la duplication de l'enregistrement.

De cette première époque nous sont parvenus des milliers d'enregistrements sur cylindres et sur disques. Les artistes enregistrant sur cylindre devaient alors se produire devant une série d'appareils et répéter l'opération des dizaines de fois ! Par la suite, on met au point le *pantographe*, un appareil permettant de lire un cylindre et de le copier sur d'autres cylindres. La détérioration de la qualité, déjà faible, de l'enregistrement sur cylindre est malheureusement accentuée par le processus.

C'est le gramophone de Berliner qui s'impose en matière d'écoute privée dès le début du XXᵉ siècle. Le phonographe devient quant à lui l'instrument idéal pour une nouvelle science naissante, l'ethnomusicologie. Edison tente d'améliorer son appareil, les procédés de gravure et de duplication. Il réussit à faire produire en série des cylindres enregistrés et il met au point en 1913 un appareil faisant la lecture d'un disque de bakélite épais de 2,5 cm en position verticale. C'est pour ce type d'appareil que Rachmaninov réalise ses premiers enregistrements. D'une qualité sonore exceptionnelle, l'Edison Diamond Disc arrive trop tard, les foyers américains étant déjà munis de gramophones.

Pendant ce temps, la radio est en pleine évolution à la suite de la découverte de l'amplification du signal radio par la triode, l'amplificateur et le haut-parleur. Un signal, aussi faible soit-il, peut désormais être rendu audible. Les recherches se déroulent dans les laboratoires des compagnies d'électricité ou de téléphone. Les ventes de disques avaient déjà commencé à chuter dramatiquement avec l'arrivée de la radio. La bande de fréquences reproduites par la radio est alors le double de celle du disque dans ses meilleures conditions. Il n'en coûtait rien pour écouter de la musique une fois le débours effectué pour un poste de radio, sinon le seul coût de l'électricité nécessaire pour faire fonctionner l'appareil, menant à une crise dans le secteur de l'industrie phonographique.

Le procédé d'enregistrement électrique, d'abord réservé à l'Amérique, sera diffusé à travers le monde. Les années 1920 seront des plus florissantes et verront l'apparition de nouvelles maisons telles que Brunswick — qui ira jusqu'à payer 10 000 $ à Al Jolson pour un seul enregistrement de quelques minutes, un record à l'époque — et des fusions et associations entre éditeurs internationaux. Les disques flexibles et transparents font leur apparition. On estime que les enregistrements de musique de danse par les orchestres d'hôtels célèbres représentent 75 % de la production discographique au cours de cette période.

Alfred Cortot est l'un des premiers pianistes à faire un enregistrement électrique dans les studios de la Victor aux États-Unis. La *Danse macabre* de Saint-Saëns interprétée par l'Orchestre de Philadelphie sous la direction de Stokowski semble être le premier enregistrement électrique d'une œuvre symphonique. La première œuvre complète à avoir été captée pour le disque pourrait être la *Quatrième symphonie* de Tchaïkovski. Wilhelm Fürtwangler enregistre sur film optique une version de la *Cinquième symphonie* de Beethoven en 1926. Brunswick commercialise en 1925 la première platine équipée d'une cellule magnétique. En 1929, la RCA (Radio Company of America)

fait l'acquisition de la Victor Talking Machine. RCA Victor lance le célèbre *Victrola* en 1929, un appareil radio surmonté d'un gramophone. Les auditeurs purent ainsi découvrir l'écart de qualité qui séparait les deux médias ! Decca qui avait eu le mandat de développer le gramophone portatif au cours de la Première Guerre mondiale se lance alors dans la production d'enregistrements.

L'année 1929, celle de la dépression, est également l'année où les ventes de disques atteignent un record. Au cours des années qui suivront, le disque sera considéré comme un produit de luxe. En effet, les ventes passent aux États-Unis de 150 millions de disques en 1929 à 10 millions en 1933. La radio puis le cinéma parlant (*The Jazz Singer*, 1927) vont momentanément détourner les consommateurs. On enregistre de nombreuses faillites et fusions. RCA investit alors dans une nouvelle technologie : la télévision. L'industrie de l'enregistrement se concentre sur les titres et artistes à succès. Le nombre d'enregistrements de musique dite classique — expression apparue aux États-Unis après la Seconde Guerre mondiale —, de jazz, de blues et de musiques ethniques sera réduit. La gravure sur acétate (Direct to Disc Process) est mise au point. Il fallait auparavant quelques jours avant de pouvoir écouter les résultats d'une séance d'enregistrement. Dorénavant, l'écoute en est immédiate. Les collectionneurs les plus fortunés peuvent ainsi se procurer un appareil comprenant la radio, un gramophone et un télégraphone (graveur sur acétate). Ainsi, ils peuvent à loisir enregistrer les grands concerts retransmis par la radio.

De grandes transformations s'opèrent au cours des années 1930 sur la scène musicale. Le disque est de nouveau concurrencé par la radio et le cinéma. La radio, qui au départ diffusait des enregistrements sur disque, se tourne vers la production. Bing Crosby est l'exemple type du chanteur au nouveau style, le chanteur à microphone. Les compagnies enregistrent les chansons populaires entendues dans les films.

L'industrie connaît un regain de vie à la suite de nouvelles stratégies de mise en marché. Le juke-box, cet appareil qui n'est pas sans rappeler les machines à sous d'Edison et Bell-Tainter, est implanté dans les lieux publics. C'est aussi au cours de cette décennie que l'Europe se met au goût du jazz avec les *Hot Clubs*, où on diffuse les musiques de variétés, de vaudevilles, du burlesque, des comédies musicales. L'engouement pour le *son*, musique afro-cubaine, gagne les États-Unis et l'Europe, comme le font également le *rebetika* et le *calypso*.

La période de 1925 au début de la Seconde Guerre mondiale n'aura connu que très peu d'innovations sur le plan technique après l'introduction de l'enregistrement et de la lecture électrique des disques. Sortie de la récession économique, RCA, dont les ventes mensuelles atteignent huit cent à neuf cent mille disques aux États-Unis seulement, relance sa production d'enregistrements de musique classique. La mention Haute Fidélité fait son apparition sur les nouveaux enregistrements, garantissant aux consommateurs les meilleures conditions d'enregistrement possibles et offrant la meilleure qualité sonore. Cette stratégie commerciale était le fruit d'une campagne publicitaire bien menée, puisque aucune amélioration n'est apportée au procédé d'enregistrement et de lecture. Il faut toutefois signaler la découverte accidentelle de la stéréophonie par Alan Blumlein vers 1933. Blumlein avait utilisé au cours d'un enregistrement d'œuvres symphoniques dirigées par leur compositeur, Edward Elgar, deux microphones légèrement décalés l'un de l'autre dans le but d'obtenir une copie de sauvegarde en cas de bris du microphone principal. Des copies provenant des deux sources furent réalisées. Blumlein obtint un effet pré-stéréophonique en les reproduisant simultanément sur deux appareils.

Il faut attendre la fin de la Seconde Guerre mondiale avant de voir apparaître de nouveaux développements dans le domaine de l'enregistrement. Aux

États-Unis, la guerre amène une pénurie de gomme-laque (shellac), matière importante dans la fabrication des disques. Les consommateurs qui voulaient se procurer un nouvel enregistrement devaient rapporter en échange un autre disque qui était par la suite recyclé. La filiale américaine de Decca pu ainsi produire la comédie musicale *Oklahoma*; comme plus d'un million d'exemplaires du disque trouveront preneur, il y a en aura autant qui seront détruits.

Au sortir de la guerre, l'industrie phonographique aux États-Unis s'en tire fort bien ; vers la fin des années 1940, 50 % des ventes d'enregistrements dans le monde sont faites dans ce pays. Les dix années qui suivent sont donc fortement marquées par l'industrie américaine. Techniquement parlant, la seule amélioration apportée au domaine de l'enregistrement est dérivée des développements que l'ingénieur en chef Arthur Haddy chez Decca avait apportés aux détecteurs de sous-marin. Le premier enregistrement à bénéficier de cette nouvelle technologie fut celui de la suite *L'Oiseau de feu* de Stravinsky sous la direction d'Ernest Ansermet. Le sigle *ffrr* apparaissant sur l'étiquette du disque y indiquait que toutes les fréquences audibles avaient été captées lors de l'enregistrement. Malgré cette innovation, l'œuvre enregistrée fut éditée sous forme segmentaire sur des disques d'une durée variant de trois à cinq minutes.

L'ère du magnétophone et du microsillon

À la capitulation de l'Allemagne en 1945, les soldats alliés découvrent dans les stations de radio allemandes des appareils enregistrant sur ruban, des *Magnetophon* de marque AEG. Bien que présenté lors d'une exposition universelle à Berlin dix ans auparavant, l'appareil avait surtout séduit les représentants de la Gestapo. Malgré quelques innovations apportées à l'appareil de Poulsen, le rendement demeure inférieur à celui du disque. En émettant un courant de haute fréquence lors de l'enregistrement, les ingénieurs allemands avaient trouvé le moyen de réduire le souffle de la bande et la distorsion du signal. John Muller, un ingénieur au service de l'armée américaine, rapporte donc deux exemplaires des studios de Frankfurt à titre de trophée. Épaté par le rendement, il demande à la compagnie américaine Ampex d'en faire des copies. D'autres exemplaires sont alors envoyés en Angleterre et dans les autres pays alliés. Les développements techniques que connaîtra l'enregistrement sur bande seront majeurs à tel point que nombre d'historiens croient que le magnétophone à ruban aurait pu être le nouveau format de l'édition musicale, n'eût été l'arrivée du microsillon. Il comportait cependant de sérieux handicaps : il était malaisé de manipuler les bobines et l'accès aux pièces musicales était aussi fort compliqué.

Du côté de l'édition phonographique, une nouvelle guerre de standards s'annonce, celle de la vitesse de rotation. La dernière innovation en ce sens remonte à 1925 avec le disque de longue durée d'Edison, d'une durée de vingt minutes et d'une vitesse de rotation de 80 tours/minute, abandonné à la suite des problèmes de stabilité de lecture. En 1931, RCA travaille de son côté sur un procédé de lecture à 33 tours/minute, technique dérivée d'un appareil utilisé par l'industrie cinématographique. Il permet de loger un mouvement complet de la *Cinquième symphonie* de Beethoven ou une pièce de Duke Ellington et son orchestre. Malheureusement, le disque longue durée est rapidement relégué aux oubliettes, l'Amérique étant en récession.

C'est un soir d'été en 1945, lors d'un souper chez des amis, que Peter Goldmark, responsable du développement technique à la Columbia Broadcasting System (CBS), a compris l'urgence de mettre au point le disque longue durée. Son hôte avait fait jouer le *Deuxième concerto en si mineur* de Brahms interprété par Vladimir Horowitz et accompagné par l'orchestre de la NBC, sous la direction de son beau-père, Arturo Toscanini. Il comptait onze interruptions au cours de

la reproduction phonographique. En 1948, le président de la CBS Edward Wallenstein donne une conférence de presse afin de présenter la nouvelle technologie du disque longue durée ou microsillon de 30 cm de diamètre et tournant à 33 1/3 tours à la minute. On montre alors aux journalistes une pile de disques 78 tours haute de deux mètres et une pile de microsillons haute de 40 cm, équivalant aux mêmes enregistrements. Pour les plus âgés d'entre eux, il n'y avait là rien de bien nouveau ; ils se souvenaient du disque 30 cm de Edison et du disque 33 tours de RCA. Columbia offre alors la technologie du microsillon à toutes les maisons d'édition. RCA, se sentant devancée par sa concurrente, propose en 1949 le disque de 7 pouces (17,5 cm) tournant à 45 tours/minute. Le disque 45 tours sera le format privilégié pour la musique populaire et ce, jusqu'à la fin des années 1960, époque où apparaissent les premiers albums populaires artistiquement conçus comme un tout. Cette technologie est, il va sans dire, incompatible avec celle du microsillon. Ce sont les fabricants de platines tourne-disques qui résoudront l'incompatibilité des formats en offrant la possibilité de faire tourner les disques à 33, 45 ou 78 tours/minute sur le même appareil.

Les premiers enregistrements à paraître sur microsillon sont en réalité des transferts d'enregistrements parus sur disque 78 tours. Le premier enregistrement Columbia à avoir été enregistré pour le microsillon fut le *Concerto pour violon* de Dvořák interprété par Nathan Milstein accompagné par l'Orchestre symphonique de Minneapolis dirigé par Antal Dorati, en 1951. Decca et Deutsche Grammophon adoptent aussi le nouveau format en 1951. Le président d'EMI étant sceptique, il faudra encore quelques années avant de voir apparaître sous cette marque britannique les premiers disques longue durée. C'est donc grâce à la combinaison de deux technologies, enregistrement magnétique et gravure en microsillon, que le nouveau format prend son essor. La première facilite la tâche lors de l'édition, la seconde permet dorénavant de reproduire des mouvements complets d'œuvres symphoniques ou concertantes.

À la fin des années 1940 le marché compte de nouveaux éditeurs de musique classique tels Allegro, Capitol, Cetra Soria, Concert Hall, Fonit-Cetra, London, Mercury, Paraclete, Polydor et Vox. Au lendemain de la guerre, la Deutsche Grammophon Gesellschaft (DGG), qui se trouve dans une situation précaire avec son catalogue d'enregistrements de compositeurs et de musiciens allemands, se voit proposer une nouvelle stratégie éditoriale par son département commercial : l'édition d'une sorte d'encyclopédie sonore illustrant les genres et styles musicaux qui sont à l'origine des tendances musicales observées au XXᵉ siècle. Ainsi est né le label Archiv, division musicologique de la DGG. C'est aussi au cours de cette décennie que naît la musique concrète (P. Schaeffer) et les premières œuvres faisant appel à des appareils électroniques ou à des sons non musicaux (*Poème électronique* de Varèse, commandité par le fabricant Philips). Karlheinz Stockhausen compose en 1956 une œuvre impossible à reproduire à l'aide des techniques d'enregistrement de l'époque, *Gesang der Jünglinge*, retransmise par cinq haut-parleurs entourant les auditeurs en salle.

L'arrivée du magnétophone dans les studios d'enregistrement met pratiquement fin aux interprétations telles qu'entendues en concert. Un scandale éclate lorsque l'on découvre avec stupeur que Walter Legge avait eu recours à un subterfuge lors de l'enregistrement du *Tristan et Iseult* dirigé par W. Fürtwangler. Legge avait convaincu Kirsteen Flagstad d'y tenir le rôle-titre même si elle ne se sentait plus à l'aise. C'est non sans hésitation qu'elle fut aidée par Elisabeth Schwarzkopf pour les quelques notes qu'elle ne possédait plus. Grâce à la magie du montage, les plus célèbres critiques n'auraient jamais réalisé que les deux voix avaient été combinées pour ne faire qu'une, n'eussent été les commentaires d'un technicien ayant

assisté à l'enregistrement et qui parvinrent à l'attention des médias.

De la stéréophonie au multipiste

Côté technique, la prochaine innovation sera mise au point par les ingénieurs des laboratoires Bell. Il s'agit d'un procédé d'enregistrement binaural, utilisant deux microphones, qu'ils présentent aux gens de la RCA. Prétextant reproduire le procédé d'écoute de l'oreille humaine, cette technique sera nommée stéréophonie. Nous avons vu comment Alan Blumlein avait découvert par accident l'enregistrement en fausse stéréophonie. En raison de la période de récession économique, il interrompt son travail pour entrer au service de recherche sur la télévision et le radar, priorisé par EMI en ces temps de guerre. Entre-temps, la stéréophonie avait déjà été réalisée au cinéma. La bande son du film d'animation *Fantasia* (1940) de Walt Disney est diffusée en stéréophonie dans les quelques salles munies de l'équipement nécessaire.

Si le magnétophone offre très tôt la possibilité de capter les enregistrements en stéréophonie, il en va autrement de leur reproduction sur disque. Cette innovation n'était pas sans incidence sur les coûts de production et d'édition. Les compagnies se devaient en effet à l'époque d'enregistrer simultanément en monophonie et en stéréophonie.

À l'opposé de la démarche chez RCA, une nouvelle philosophie d'enregistrement naît dans les studios de Decca. John Cuslaw, anciennement rattaché au département publicitaire de la compagnie, travaille à la réalisation d'un des plus grands projets jamais réalisés en Amérique, celui de l'enregistrement de l'*Anneau du Nibelung* de Richard Wagner placé sous la direction de Georg Solti. Débuté en 1958, le projet est mené à terme en 1965. Cuslaw veut alors intégrer au disque l'atmosphère de la scène à l'aide de la stéréophonie. Chaque interprète avait sa place indiquée au sol lors des séances d'enregistrement qui pouvaient durer de 15 à 20 minutes contrairement aux séances de 3 à 5 minutes qui étaient la norme à l'époque.

Bien que Hindemith et Toch aient déjà procédé à la superposition d'enregistrements sur cylindres (tout comme Sidney Bechet qui réalisa un enregistrement dans lequel il joue de tous les instruments), c'est à Les Paul — qui mit au point la guitare avec amplificateur qui porte désormais son nom — que l'on doit les premiers enregistrements sur magnétophone multipiste. C'est à sa demande que la compagnie Ampex met au point un magnétophone à huit pistes.

Par la suite, apparaissent les magnétophones à 24 et 32 pistes. Bien que réalisés sur plusieurs pistes, les enregistrements se doivent d'être réduits à deux canaux pour être lus sur microsillon. Les enregistrements de musique populaire offrent donc rarement une stéréophonie réelle. Viennent ensuite les perfectionnements offerts par les réducteurs de bruit mis au point par Raymond M. Dolby en 1966, les égalisateurs de fréquences et les compresseurs sonores.

Ces perfectionnements ouvrent aux réalisateurs de nombreuses possibilités en termes de montage sonore et d'enregistrement. Il devient ainsi possible d'enregistrer en studio et de reproduire dans son salon la musique d'un groupe tel Led Zeppelin dont l'équipement nécessite 70 000 watts en concert. Il est également possible d'enregistrer un disque pour lequel les musiciens d'un groupe ne joueront pratiquement plus ensemble comme pour *Abbey Road* des Beatles, réalisé au moment où le groupe est en voie de dissolution.

La mise au point des circuits intégrés au début des années 1970 permet de réduire les coûts de fabrication et la dimension des appareils électroniques. Bien que misant avant tout sur la stéréophonie et la portabilité, force est d'admettre que vers la fin de la décennie la qualité de la reproduction sonore avait régressé. On désigne cette époque par le terme de *low-fi*. Plusieurs fabricants américains virent les consommateurs abandonner leurs produits peu fiables en faveur des appareils japonais. Dans le domaine audiophile,

les petits fabricants d'appareils haut de gamme vont naître. C'est l'ère du *High End* ou des appareils abscons. Énergivores, massifs, plus souvent à l'atelier que dans le salon de leurs propriétaires, ils ne s'adresseront qu'à des audiophiles au portefeuille bien garni.

Le magnétophone à cassette est bientôt adopté à peu près partout dans le monde. Il supplante le microsillon dans certains pays (Inde) ou continents (Afrique). C'est en 1979 que Sony commercialise son *Walkman*, avec un succès phénoménal. D'abord voué à la lecture, le baladeur est très rapidement doté d'une tête d'enregistrement. La minicassette détrônant le microsillon, une crise se profile à l'horizon. L'industrie est à la recherche de nouveaux formats. Après le succès de la stéréophonie qui donne une illusion de profondeur aux enregistrements, les ingénieurs des maisons de disques travaillent à transporter la salle d'enregistrement dans le salon de l'auditeur. Pour ce faire, il suffit d'installer quatre haut-parleurs dans le salon des mélomanes soucieux de réalisme sonore.

Les premiers enregistrements seront réalisés par EMI et CBS, qui travaillent sur la reproduction en tétraphonie en utilisant un système nommé QS. Sansui, le fabricant japonais, propose lui aussi son propre système, le SQ; les deux systèmes sont incompatibles. Plusieurs enregistrements seront par contre réalisés suivant ce procédé par la maison Philips. L'un des plus célèbres enregistrements conçus pour la tétraphonie est sans nul doute celui de *Dark Side of the Moon* du groupe britannique Pink Floyd. Peu de gens à l'époque ont la chance d'entendre l'album reproduit sur une chaîne tétraphonique puisque peu d'entre eux sont prêts à faire l'acquisition d'une nouvelle platine surmontée d'une cellule phono lectrice à 4 canaux, d'un second amplificateur et d'une seconde paire d'enceintes de haut-parleurs!

La chaîne stéréophonique typique de l'époque du microsillon comportait une platine tourne-disque, un magnétophone à cassette hi-fi, un casque d'écoute, un récepteur — appareil intégrant un syntoniseur, un préamplificateur et un amplificateur — et une paire d'enceintes de haut-parleurs. Le magnétophone à vidéocassette était, lui, généralement relié au téléviseur. Il faudra attendre l'arrivée de magnétophone à vidéocassette hi-fi, en 1983, avant de le voir intégrer la chaîne stéréophonique. Le casque d'écoute devient un accessoire capital témoignant d'un nouveau mode d'écoute, une écoute lors de laquelle l'auditeur se coupe des sons environnants.

L'ère numérique ou la fontaine de jouvence

Le microsillon et le 45 tours longue durée cédant graduellement le pas à la minicassette, la compagnie RCA croit que cette évolution des supports mène au vidéodisque. Ampex commercialise dès 1956 un magnétophone à vidéocassette utilisé les studios de télévision. Les ingénieurs chez RCA mettent donc au point le Selectavison Video Disc, commercialisé en 1981, puis abandonné après 3 ans. De leur côté les fabricants japonais reprennent dès 1975 le principe du magnétophone à vidéocassette. Toutefois, ici aussi deux systèmes incompatibles sont offerts aux consommateurs : le *Betamax* (Sony) et le VHS de la Japan Victor Company (JVC). Comme Sony refuse de vendre des droits de licence sur le Betamax, c'est vers le format VHS que se tournent les fabricants et les studios de cinéma. La prochaine révolution technologique se prépare alors au Japon : l'encodage numérique. Les premiers principes de base de l'enregistrement en modulation par impulsions codées (Pulse Code Modulation) sont établis en 1937. Il faudra attendre une cinquantaine d'années avant d'en voir la commercialisation.

La technique d'enregistrement numérique du son est adoptée au Japon dès 1967. Vers la fin des années 1970, une version du Betamax offre l'enregistrement numérique de l'image et du son. De son côté, Philips dévoile en 1978 un disque à lecture optique. Sony, ayant retenu la leçon du Betamax, s'associe à Philips afin de produire un format compatible de disque à lecture optique. Le disque compact est commercialisé dès 1982 au Japon et quelques années plus tard en Amérique et en Europe.

La mise au point de l'enregistrement numérique ne sera pas sans conséquence sur le son. Autrefois analogique par le mouvement du burin gravant l'acétate ou par l'excitation des particules de métal sur pellicule, la capture numérique du son en dénature l'essence en réduisant celui-ci à une succession de 0 et de 1. Une nouvelle ère s'ouvre à l'industrie avec la commercialisation du disque compact. Les fabricants et détaillants doivent dans un premier temps éliminer un des formats sur le marché. Ils ne peuvent plus se permettre de tripler leur inventaire en offrant un enregistrement sous forme de microsillon, de minicassette et de disque compact. Le microsillon est très tôt sacrifié. Le choix est d'autant plus facile à faire que les ventes de ce dernier périclitent d'année en année.

La première décennie à voir l'apparition du disque compact en est une des plus fastes. Les maisons d'édition peuvent en effet exploiter à nouveau leurs archives tout en continuant à éditer, souvent à coûts astronomiques, de nouvelles réalisations. C'est l'euphorie. Sony, fort du succès de son *Walkman*, mettra au point son *Discman*, un lecteur numérique portable. Côté technologie, les fabricants cherchent un remplaçant à la minicassette. Philips propose la Digital Compact Cassette (DCC, 1992). De son côté, Sony, qui avait depuis 1986 mis sur le marché le Digital Audio Tape (DAT), commercialise le minidisque en 1992. Aucun de ces formats ne gagnera la faveur du public. Seul le DAT sera retenu par les professionnels de l'enregistrement.

Pendant ce temps, une nouvelle technologie fait son entrée dans la vie quotidienne : celle de l'ordinateur personnel (Personal Computer, PC). Les premiers appareils pouvant à peine contenir l'équivalent d'une simple lettre, c'est donc sur les capacités de stockage que les fabricants s'attardent. Deux technologies incompatibles voient le jour : celle des PC exploitant la plateforme Microsoft et celle exploitant la plateforme Macintosh. La capacité de stockage des ordinateurs personnels sera considérablement accrue grâce aux nouveaux microprocesseurs Pentium et Power PC. Seront développés par la suite les programmes et enregistrements offerts sur CD-ROM (1991). Le CD-ROM, offrant des fonctions interactives, sera immédiatement considéré comme le futur remplaçant du disque compact, commercialisé il y a peu! Une marée de CD-ROM éducatifs inonde le marché à cette époque. Quelques réussites telles que *L'essentiel de la musique*, *Promenades en musique*, *Multimedia Beethoven*, *Multimedia Strauss* n'ont pas réussi à faire contrepoids à tous les produits médiocres proposés. Pendant ce temps, le réseau Internet prend forme et le format de compression numérique MP3 est mis au point.

La chaîne stéréophonique type à la fin du XXᵉ siècle comprend, outre les accessoires énumérés précédemment, un lecteur audionumérique ne pouvant lire qu'un seul disque. La platine tourne-disque disparaît vers le début des années 1990, suivie de la platine à minicassette. Le lecteur à disque unique est bientôt remplacé par les lecteurs multidisques dont les différents modèles peuvent loger jusqu'à 300 CD! Le lecteur portable devient le lecteur privilégié des jeunes. L'écoute se fait désormais en tout temps et en tout lieu. Le graveur numérique pour disque compact est intégré à l'ordinateur. Sur le plan compositionnel, une nouvelle technique de composition sera déterminante : l'échantillonnage numérique de sons préenregistrés ou de fragments de chansons. Ce qui est nouveau ici par rapport aux pratiques musicales du pastiche ou du collage, c'est le fait que le son ou le fragment échantillonné est décomposé par procédé informatique pour être par la suite transformé et intégré dans une nouvelle composition.

La fin d'un rêve

La technologie numérique de la première vague offre un produit fini aux consommateurs; le disque compact ne permet que la lecture. Il est toujours possible de copier un disque compact sur minicassette, mais le signal numérique devant être converti en signal analogique, une conversion accompagnée d'un certain bruit de fond, les éditeurs phonographiques en font peu de cas. L'ordinateur personnel, de son côté, ne permettait encore récemment que de sauvegarder de petits fichiers sur disquette de faible capacité (1,44 Mo). Autrefois initiateurs d'avancées technologiques en matière d'enregistrement, les éditeurs phonographiques sont bientôt à la remorque des innovations et quelquefois dépassés par celles-ci (graveurs CD et DVD). Au tournant du troisième millénaire, les innovations se succèdent à un rythme affolant.

C'est d'abord en 1988 qu'est introduit le disque compact enregistrable (CD-R). Destiné au stockage d'information et d'images, il sert à stocker de la musique à la commercialisation des graveurs, vers 1998. Les fabricants et les grands studios cinématographiques s'entendent dès 1997 sur les standards d'un nouveau format, le Digital Versatil Disc (DVD). On commercialise d'abord le DVD vidéo (DVD-V), suivi des formats DVD-ROM, DVD-RAM, DVD-R et DVD+R, introduits en 1998. C'est en 1999 que se transmettent par Internet les premiers fichiers musicaux MP3. Les fabricants de leur côté présentent les premiers lecteurs DVD-audio (DVD-A) et Sony, le Super Audio Compact Disc (SACD), deux successeurs potentiels du CD. Ces deux formats offrent une plus grande capacité de stockage et la reproduction sonore multicanal (six haut-parleurs) en plus d'une certaine protection contre la copie intégrale du contenu. Les nouveaux appareils et leurs formats respectifs se révélant cependant incompatibles avec le disque compact et son lecteur, le DVD-A et le SACD n'obtiennent donc pas de succès dans leur version originale. Les éditeurs se tournent alors vers une version hybride dans le cas du SACD en offrant une couche CD lisible par tout lecteur CD ou DVD-V ou, dans le cas du DVD-A, ajoutent une couche image pour en rendre la lecture possible sur un lecteur DVD-V. Le

PIERRE FILTEAU

DVD-A est aujourd'hui un format menacé de disparition en raison de son incompatibilité avec les différents lecteurs de disque compact (domestique, portable ou pour la voiture). Sony, après avoir reconnu que le disque compact n'atteignait pas la perfection que l'on avait publicisée, mais qu'il pouvait satisfaire le commun des auditeurs, faisait son mea-culpa en annonçant la sortie du SACD, un format enfin à la hauteur des attentes des audiophiles. L'intérêt du consommateur semble pourtant être ailleurs, tout comme celui du fabricant, qui en catimini paraît avoir laissé tomber ce format pour se tourner vers la technologie Blu-ray, l'une des prochaines générations de DVD. Signalons que depuis la fusion des groupes Sony Music et BMG Music, seuls les enregistrements de musique classique d'origine RCA ne semblent avoir fait l'objet d'aucune réédition sous format SACD. Sony se contente d'éditer sur SACD les grands artistes populaires (intégrale de la discographie de Bob Dylan) ou les grands jazzmen (*Kind of Blue* de Miles Davis). Il semble que cette technologie va donc s'imposer par défaut. Le consommateur quant à lui doit maintenant se familiariser avec une panoplie de sigles (CD, CD-R, CD-RW, SACD, DVD-A, DVD-V, DVD-R, DVD-DSD, DVD 24/96, DVD AV, HDCD, HDAV 24/96, HDAV 24/192, DTS, AC-3, etc.) et un jargon technologique des plus colorés (Super Bit Mapping, Direct Stream Digital, Extended Resolution Compact Disc XRCD, Ultradisc UHR , 5.1 Dolby, 96 KHZ, etc.) apparaissant sur l'emballage des lecteurs ou au dos des disques compacts. Dire qu'il fut un temps où le consommateur n'était préoccupé que par les lettres AAD, ADD et DDD !

Du côté audiophile, l'ultra haute fidélité (UHF) va supplanter le *High End*. Selon les tenants de l'UHF, les appareils maintenant plus perfectionnés reproduisent non seulement avec fidélité la source sonore (instrument, voix, orchestre), mais ils ont maintenant la possibilité de constituer eux-mêmes la source. Ce ne serait plus la *représentation* de la source sonore que l'on entendrait, mais bel et bien *la source elle-même*.

Signalons qu'Edison tenait le même propos concernant la fidélité de la reproduction sonore de son phonographe.

La musique accessible par un clic de souris

Bien que ce ne soit que vers l'année 2000 que le consommateur se voit offrir un lecteur numérique pouvant lire les fichiers musicaux MP3, les recherches sur le format MP3 ont débuté en Allemagne vers 1980 à la demande de la Deutsche Telekom. Le but recherché était d'arriver à transmettre par téléphone des fichiers musicaux, reprenant ainsi en quelque sorte le principe du *telharmonium* imaginé par l'Américain Thaddeus Cahill en 1906. Cet instrument, un orgue de la dimension d'une maison, devait servir à livrer de la musique aux abonnés du téléphone. C'est à Karlheinz Brandenburg et son équipe que revient l'honneur d'avoir mis au point en 1989 le format *MPEG 1 – audio layer* 3 désigné sous le sigle MP3. Le MP3 est un format dérivé des différents formats soumis par les fabricants au Movie Picture Expert Group (MPEG). La même année, le consommateur se voit offrir les premiers appareils cellulaires pouvant eux aussi lire les fichiers musicaux compressés de type MP3. Le graveur supportant les fichiers MP3 est mis au point par Tomislav Uzelac en 1997. Deux jeunes universitaires vont ensuite adapter cette technologie à la plateforme Windows. C'est la naissance du Winamp. On regroupe sous l'appellation de *codecs* tous les logiciels de COmpression/DECompression. Il est possible pour l'auditeur, dès 1998, d'écouter des fichiers MP3 sur des lecteurs portables. De l'année 1999 on retient la création du logiciel Napster par Shawn Fanning, alors jeune universitaire, et la naissance de son célèbre site de téléchargement de type P2P (*peer to peer* ou *person to person*). Ce logiciel permettait de mettre en contact des millions d'utilisateurs de PC ayant stocké des fichiers musicaux sur le disque dur de leur ordinateur, d'en faire l'échange et de les copier. Il devenait ainsi facile de se procurer de la musique sans avoir à verser un sous à l'industrie. Cette dernière réagira rapidement : Napster est démantelé au début de 2001. Entretemps, d'autres technologies de partage de fichiers MP3 apparaissent (Groster, Kazaa, Gnutella, etc.). Les éditeurs font alors l'acquisition de certains de ces sites et doivent désormais se résigner à offrir un service de téléchargement de fichiers musicaux ou à offrir leur catalogue à des sites officiels de téléchargement. En effet, certaines études prévoient que le téléchargement de musique devrait compter pour plus de 30 % du marché de la musique d'ici 5 ans.

En 2001, Apple met sur le marché son désormais célèbre lecteur de fichiers MP3, le *iPod*. Son fondateur, Steve Jobs, met sur pied le site *iTunes store*, l'un des premiers sites indépendants de téléchargement légal de musique. Les concurrents mettent au point leurs modèles de baladeurs numériques en peu de temps et de nouveaux sites offrant le téléchargement légal de musique sont rapidement créés. Les baladeurs à disque dur, des appareils qui tiennent dans la paume de la main, peuvent loger jusqu'à 15 000 chansons. Ici encore deux technologies s'affrontent : les fichiers musicaux de type PC et de type Macintosh (Apple).

Afin de recouvrer un marché qui leur échappe, les éditeurs tentent de regagner le consommateur de musique en offrant les enregistrements dans des emballages plus attrayants, tel le Digipack. On ira jusqu'à offrir un accès exclusif à un site de l'artiste en insérant le disque dans le lecteur de CD de son ordinateur relié à Internet. D'autres compagnies tentent quant à elles de rendre le disque non copiable en encryptant un code de sécurité qui, dans certains cas, peut endommager l'ordinateur. On propose par la suite des enregistrements paraissant sous forme de Dual Disc. Ce format joint le disque compact et le DVD vidéo sur un seul disque. Toutefois, la popularité de ce format tarde à venir, d'autant plus que l'on a découvert récemment que, par son épaisseur, ce type de disque pourrait endommager les lecteurs.

Prospective

Avant le grand saut définitif dans le numérique, il est important de préserver une culture de la diversité musicale. Avant l'Internet, elle se mesurait au nombre de mètres linéaires des rayons CD des supermarchés. Désormais, la question se pose autrement : doit-on forcer par la loi les gens à utiliser les services payants des majors du disque et de l'informatique, ou doit-on trouver un moyen de rémunérer les artistes, réduire le piratage à un taux résiduel tout en favorisant l'approche P2P plébiscitée par la quasi-totalité des internautes ? (Krim, 2003)

En 2007, 130 ans se seront écoulés depuis que Thomas Edison a fixé le son dans la matière pour une première fois. Ce miracle technologique aura eu comme première conséquence la transformation du son en produit. À la suite de moult innovations, nous sommes maintenant passés à la dématérialisation de l'objet sonore grâce à la technologie numérique et à Internet.

Comment accéderons-nous demain à la musique ? La chaîne stéréophonique sera-t-elle la principale source d'écoute ? On peut en douter. Elle connaîtra toutefois de nouvelles innovations technologiques. Elle se verra fort probablement dotée d'un lecteur avec disque dur intégré permettant de loger le contenu de plus d'un millier de disques compacts. Les premiers appareils de calibre audiophile sont déjà commercialisés et sont offerts à prix raisonnable. Le disque compact devrait demeurer encore quelques années le format privilégié des consommateurs. Nous avons vu que le DVD audio a quant à lui pratiquement tiré sa révérence. Le SACD devrait survivre quelque temps encore. Entraînant d'importants coûts de production et de fabrication, le consommateur paie donc plus cher pour une technologie dont il ne peut percevoir les avantages s'il n'est pas équipé d'une chaîne multicanal. Le président de Naxos a annoncé récemment que sa compagnie allait cesser d'éditer sous formats DVD-A et SACD. Les enregistrements seront cependant réalisés pour un traitement multicanal futur et édités sur un format qui aura fait consensus entre fabricants et consommateurs.

Il est difficile d'évaluer l'avenir du DVD-V. À peine commercialisé, les fabricants ont déjà annoncé ses remplaçants : le format Blu-ray et le format HD-DVD. Derrière chaque format se trouve un consortium regroupant fabricants et studios de production cinématographique. C'est le consommateur qui va probablement trancher comme il l'a fait pour le gramophone versus le cylindre, le microsillon versus le 45 tours, la vidéocassette VHS versus le format Betamax, le disque compact versus la minicassette, le DAT, la DCC, le minidisque, etc.

Une chose est sûre, il faudra dans le futur composer avec Internet. Les musiciens ont maintenant accès à une somme de sons, de sonorités jamais atteinte auparavant. Tout comme Internet a donné naissance à une nouvelle littérature, on peut penser que bientôt, une nouvelle forme de musique pourra naître d'Internet[1].

Le baladeur numérique permet maintenant de visionner des images sur un écran de la taille d'un timbre-poste. Le téléphone cellulaire se voit ajouter l'image et l'accès à Internet. Les caméras numériques offrent la possibilité de la lecture MP3. Il y a aussi maintenant la balado-diffusion qui permet d'écouter la radio en différé.

Le disquaire voit son rôle devenir de plus en plus inconfortable. Incapable de tenir les centaines de milliers d'enregistrements offerts par les éditeurs discographiques, il doit opérer un choix et se concentrer sur les titres ayant un fort roulement. L'amateur est frustré par le peu de choix que le disquaire offre et l'éditeur, déçu par le peu de place qui lui est octroyé. Pourra-t-il un jour offrir la gravure directe en achetant légalement des droits de gravure aux éditeurs ? C'est un des futuribles imaginés par certains auteurs.

Certains orchestres symphoniques offrent maintenant la possibilité d'écouter en ligne les retransmissions de leurs concerts. On peut penser que le mélomane pourra bientôt relier sa chaîne stéréophonique à Internet. Il aura ainsi accès à ces concerts offrant une qualité sonore supérieure à celle retransmise par la radio opérant en modulation de fréquence (FM). La radio numérique (DAB) est annoncée pour bientôt. Des concerts pourront être retransmis en haute fidélité et, qui sait, peut-être stockés sur disque dur.

La télévision sera d'ici peu entièrement numérique. La qualité de la retransmission en sera nettement améliorée. Ceci aura pour effet d'attirer à nouveau les amateurs vers les téléviseurs. Les fabricants offrent déjà des lecteurs-graveurs avec disque dur intégré (HDD-DVD).

Une chose est certaine, comme l'écrit Mark Coleman (*Playback*, 2005), c'est qu'à la fin du présent siècle, un appareil aussi perfectionné que le *iPod* semblera aussi primitif que peut l'être le phonographe d'Edison à nos yeux.

BIBLIOGRAPHIE

ATTALI, Jacques (1977), *Bruits, essai sur l'économie politique de la musique*, Paris, Presses Universitaires de France.

CANNON, Beekman C., Alvin H. JOHNSON et William G. WAITE (1964), *The Art of Music. A Short History of Musical Styles and Ideas*, New York, Thomas Y. Crowell Company.

CHAILLEY, Jacques (1976), *40 000 ans de musique. L'homme à la découverte de la musique*, Paris, Éditions d'aujourd'hui.

COLEMAN, Mark (2005), *Playback. From the Victrola to MP3, 100 years of Music, Machines, and Money*, Cambridge, Da Capo Press.

COOK, Nicholas (2006), *Musique, une très brève introduction*, Paris, Allia.

COX, Christoph et Daniel WARNER (éd.) (2005), *Audio Culture. Readings in Modern Music*, New York, The Continuum International Publishing Group Inc.

DAY, Timothy (2000), *A Century of Recorded Music. Listening to Musical History*, New Haven-Londres, Yale University Press.

DE CANDÉ, Roland (1970), *Ouverture pour une discothèque*, Paris, Seuil.

EISENBERG, Evan (1992), *Phonographies*, Paris, Flammarion.

FLICHY, Patrice (1980), *Les industries de l'imaginaire. Pour une analyse économique des médias*, Grenoble, Institut National de l'Audiovisuel-Presses universitaires de Grenoble.

GARON, Rosaire (2005), *La pratique culturelle en 2004. Recueil statistique*, Québec, Ministère de la Culture et des Communications.

GILL, Anne-Marie (éd.) (2005), *Les nouveaux supports dans le domaine de la musique : du SACD au DVD vidéo musical. État de situation*, Montréal, Les cahiers de la SODEC.

GILOTAUX, Pierre (1971), *Les disques*, Paris, Presses Universitaires de France.

GOMART, Émilie, Antoine Hennion et Sophie Maisonneuve (2000), *Figures de l'amateur. Formes, objets, pratiques de l'amour de la musique aujourd'hui*, Paris, La documentation Française.

GRONOW, Pekka et Sanio Ilpo (1999), *An International History of the Recording Industry*, Londres, Cassell.

HENNION, Antoine (1993), *La passion musicale. Une sociologie de la médiation*, Paris, Métaillé.

IMBERTY, Michel (éd.) (2001), *De l'écoute à l'œuvre. Études interdisciplinaires*, Montréal-Paris, L'Harmattan éditeur.

KATZ, Mark (2004), *Capturing Sound. How Technology has changed Music*, Berkeley, University of California Press.

KRIM, Tariq (2003), «Net : la refondation musicale», *Libération*, 15 septembre, <http://www.liberation.fr/page.php?Article=136766>.

LESUEUR, Daniel (2004), *L'histoire du disque et de l'enregistrement sonore*, Chatou, Carnot.

MARCEAU, Guy (2005), «Moins festif qu'au concert. Critique — Cantates de Bach — pour la Saint-Michel», *La Presse*, 17 décembre.

McLUHAN, Marshall (1972), *Pour comprendre les médias. Les prolongements technologiques de l'homme*, Montréal, éditions Hurtibise HMH.

MENGER, Pierre-Michel (1983), *Le paradoxe du musicien. Le compositeur, le mélomane et l'État dans la société contemporaine*, Paris, Flammarion.

MORTON, David (2000), *Off the record : the technology and culture of sound recording in America*, New Brunswick, Rutgers University Press.

MOWITT, John, Richard LEPPERT et Susan McCLARY (1989), «The sound of music in the era of electronic reproducibility», *Music and Society. The politics of composition, performance and reception*, Oakleigh, Cambridge University Press, p. 172-197.

PICHEVIN, Aymeric (1997), *Le disque à l'heure d'Internet. L'industrie et les nouvelles technologies de diffusion*, Montréal-Paris, L'Harmattan.

QUIGNARD, Pascal (1996), *La haine de la musique*, Paris, Calmann-Lévy.

SABBE, Herman (1998), *La musique et l'Occident. Démocratie et capitalisme (post-)industriel : incidences sur l'investissement esthétique et économique en musique*, Hayen, Mardaga.

SCHAEFFER, Pierre (1966), *Traité des objets musicaux*, Paris, Seuil.

SCHAEFFER, Pierre (1970), *Machines à communiquer 1. Genèse des simulacres*, Paris, Seuil.

SHARPLESS, Graham (2005), *New DVD Formats*, South Water, Deluxe Gobal Media Services Ltd ; version pdf accessible par <www.deluxe media.com>.

SZENDY, Peter (éd.) (2000), *L'écoute*, Paris-Montréal, Ircam-L'Harmattan.

THÉRIEN, Robert (2003), *L'histoire de l'enregistrement sonore au Québec et dans le monde 1878-1950*, Saint-Nicolas, Presses de l'Université Laval.

VINCENT, Odette (2000), *La vie musicale au Québec. Art lyrique, musique classique et contemporaine*, Saint-Nicolas, Éditions de l'IQRC-Presses de l'Université Laval.

NOTES

1. [ndlr] On réfère le lecteur au numéro du *Contemporary Music Review* consacré à l'«Internet Music» (vol. 24, n° 6, 2006).

Combat de la libération intérieure (2006, encre et feuilles sur papier, 23" X 16

L'armement des oreilles : devenir et avenir industriels des technologies de l'écoute[1]

Bernard Stiegler

> Le mal serait [...] que la musique mécanique inonde l'univers au détriment de la musique vivante, exactement comme les produits de l'industrie l'ont fait au détriment de l'artisanat manuel.
>
> Je conclurai avec cette supplique : que la providence protège nos descendants de ce fléau.
>
> Bartók, 1937

> Derrière les inventions techniques-industrielles et les inventions artistiques, c'est le même procès historique qui est à l'œuvre, la même force productive des hommes ; voilà pourquoi les deux phénomènes sont conjoints.
>
> Adorno, 1969

1. Une première version plus courte de cet article a paru dans *Culture et recherche*, 2002, n° 91-92, p. 3-6.

La Providence ne nous aura pas protégés, nous les descendants de Bartók, du « fléau » des industries de la musique — et ce fléau nous aura apporté cependant aussi de véritables bienfaits.

Quant à ses maux, peut-être le temps est-il venu de nous en protéger nous-mêmes, comme Bartók ne l'excluait absolument pas, et comme Adorno nous y invite en indiquant que cette question est inscrite dans une *conjonction des phénomènes techno-industriels et artistiques* qui constitue un « procès historique » et qui est parfaitement *politique*.

La question politique est aussi, aujourd'hui plus que jamais, une question esthétique — de manière essentielle — et ces questions sont conjointes dans et par l'interrogation sur l'évolution technologique de l'humanité.

Mon propos ne sera pas «technophile» : cette épithète a-t-elle un sens? Que peut bien vouloir dire «*aimer* la technique»? Quelque chose comme aimer le soleil ou le vent? Sans doute pas — ou ce serait un propos de poète ou d'artiste, comme on put le voir chez les futuristes. *Théoriquement*, la formulation est un peu courte. Quant à la «technophobie» qui croit s'opposer à ce qu'elle perçoit comme une misère, elle est le symptôme inversé et compensatoire d'une sorte de *désespoir historique* — c'est-à-dire de tragique refus de son temps.

Soutenir cela ne défend en rien de voir aussi dans la technologie l'organe et le vecteur d'un devenir qu'il peut être tout à fait légitime de dénoncer et de *combattre*. Mais dénonciation et combat n'ont de sens qu'à envisager et faire éclore *d'autres possibilités* dans le devenir — en scrutant au plus près la vaste conjonction de phénomènes au sein de laquelle Adorno inscrit la question du musical.

Aujourd'hui, dans l'état présent de la technologie, se joue la possibilité :

- soit de détendre le joug de ce fléau des oreilles (et des yeux) que craint Bartók en 1937, et dont il ne peut même pas imaginer quelles proportions aura pris la réalisation de ses craintes, enfer où les industries culturelles dominent tout, dictent leurs lois et leurs jugements à tous, réalisant à un point inimaginable ce que Gramsci appela l'*hégémonie culturelle* ;

- soit que cette hégémonie se déploie à un point encore beaucoup plus inconcevable et catastrophique, et que le devenir technologique s'avère décidément être la pire confirmation de ce qui n'aura alors été qu'un commencement de la fin — faute d'une *pensée*, d'une *volonté* et d'une *inventivité* suffisantes pour s'y opposer.

*

«Aujourd'hui» est l'époque de la technologie numérique, qui est une époque de la reproductibilité machinique. Celle-ci commence avec ce que Bartók nomme la «musique mécanique», qui est en réalité électro-mécanique : elle relève de l'ère analogique de la reproductibilité.

Celle-ci rendit possible cette *nouveauté inouïe* par laquelle l'interprétation d'une musique devenait pour la première fois répétable à l'identique. Mais elle fut aussi la fabrication d'une *oreille privée d'yeux pour lire la partition, comme de mains pour la jouer*, «déshabituant» ses auditeurs de toute pratique musicale :

> L'extension de l'usage de la radio et du gramophone serait très préjudiciable si, au lieu d'en éveiller le désir, elle déshabituait les gens d'une pratique musicale active. Pour

ceux qui disent : « Pourquoi me fatiguer à apprendre la musique, alors que j'ai là des machines qui mettent à ma disposition n'importe quel genre de musique à n'importe quel moment ? », pour ceux-là la radio est assurément dommageable. Ils ne savent pas à quel point l'effet de la musique est différent sur celui qui connaît les partitions et sait les jouer lui-même, si maladroitement que ce soit. Ce serait comme si quelqu'un disait : « Pourquoi apprendre à lire, alors que j'entendrai de toute façon les nouvelles du jour à la radio ! » (Bartók, 1995, p. 37)

Dès la fin du XIXᵉ siècle, le président de la Commission de rénovation de l'enseignement de la musique, tentant de mesurer les conséquences de l'invention toute récente du phonographe, s'exclamait ainsi :

Tout un chacun pourra, dès qu'il sera en possession d'un de ces appareils, « entendre » sans préalable [...]. On pourra, [...] grâce à de tels appareils, se donner *sans aucune étude* des jouissances profondes. (Stourdzé, 1987, p. 19)

Pourtant, Ross Russell souligna aussi que c'est avec son phonographe que Parker forma son oreille au jeu de Lester Young — et inventa le jazz moderne. De l'enregistrement est aussi née la musique concrète, et celle de Stockhausen, qui note que :

Il y a eu des époques dans lesquelles l'exercice de l'art d'écouter était réservé à certains hommes qui seuls pouvaient s'y entraîner avec constance, car ils étaient les seuls à avoir accès aux exécutions musicales. Mais aujourd'hui — Dieu soit loué — il en va autrement. Chacun, s'il veut, peut aller au concert, écouter la radio, il peut s'acheter ou emprunter de bons disques [...] ; il peut se munir d'un casque et écouter la musique sans limites et aussi souvent qu'il le souhaite *jusque dans ses détails les plus fins.*
C'est pourquoi on devrait admettre que l'art d'écouter se développe de plus en plus.
(Stockhausen, cité par Szendy, 1995, p. 42 ; Szendy souligne)

Quant à Gould, il vit dans l'enregistrement l'avènement d'une écoute libérée du concert — d'une affection bourgeoise qui n'était à ses yeux qu'un rituel fermant les oreilles de ses auditeurs. Et comme Malraux vit dans la photographie une « imprimerie des arts plastiques », la constitution d'une conscience historique de la musique fut indubitablement rendue possible par l'industrie du disque.

Ainsi, la phonographie permit *à la fois* un accès plus large des oreilles aux formes les plus variées de musiques, y compris les pires, et une amputation de ces oreilles, privées d'yeux pour lire les partitions et voir l'exécution de la musique, tout autant que de mains pour mettre en œuvre la motricité qui seule permet, peut-être, une réelle intériorisation du phénomène musical. C'est cette *désinstrumentation des oreilles* qui rendit possible une musique dont la production pouvait dès lors être organisée de façon totalement *industrielle*, c'est-à-dire *médiatisée par des machines séparant producteurs d'un côté, consommateurs de l'autre.*

2. Szendy se réfère au texte de 1924 « Pourquoi la musique de Schoenberg est-elle si difficile à comprendre ? », dans Alban Berg, *Écrits*, Bourgois, 1985, p. 33.

Tandis que le phonographe se développe apparaît l'école de Vienne. Peter Szendy remarque que

> Berg attribue à la « paresse » de la « conscience auditive » le fait qu'elle est devenue incapable « d'*enregistrer* une bonne cinquantaine d'accords en quelques secondes ». Or, s'il est bien vrai que ladite conscience s'avère souvent défectueuse en tant qu'appareil enregistreur, j'y vois quant à moi notre chance : la chance de nos prothèses, précisément ; la chance que nos instruments d'auditeurs puissent, à la faveur de notre lenteur, nous permettre une sorte d'*auscultation* des œuvres, dans un tempo certes un peu grave ou *pesant*, mais d'autant plus *pensant*. (Szendy, 2001, p. 37[2])

Ainsi, la désinstrumentation des oreilles serait le prix à payer pour la mise en œuvre d'une autre organologie de l'écoute : précisément, celle d'une écoute *analytique*.

Or, la possibilité analytique est pour Schoenberg la condition de la « musique d'art », par distinction de la « musique populaire » :

> Chaque idée doit être présente de façon que la capacité de compréhension de l'auditeur soit à même de suivre. […] On obtient, sur la base des lois de la compréhensibilité, la différence entre musique populaire et musique d'art. (Berg, 1985, p. 32)

Bartók voyait déjà dans le phonographe une possibilité nouvelle pour l'analyse (moment dialectique de son raisonnement), et, en particulier, pour les musiques qui ne sont pas notées :

> Je l'affirme sans hésiter, la science du folklore musical doit son développement actuel à Edison. [...]
> L'autre grand avantage des enregistrements, c'est qu'avec une vitesse de rotation diminuée de moitié nous pouvons les écouter et les étudier dans un tempo très lent, comme si nous analysions un objet à la loupe. (Bartók, 1995, p. 33-34)

J'avais moi-même montré que c'est ainsi que travaillait Parker apprenant la musique (en ralentissant le plateau de son gramophone), mais utilisant aussi l'appareil enregistreur pour *écrire* sa musique, c'est-à-dire pour la graver non pas sur une partition, mais *dans des sillons* (Stiegler, 1984). Au moins dans le jazz, la création serait transformée par les conditions de l'écoute, qui se révélerait, à travers les techniques de reproduction, initiale dans le processus d'évolution de la création. C'est en fait ce que montre Hugues Dufourt notant que, les clercs du Moyen Âge croyant recueillir pieusement le répertoire du chant sacré, à l'aide d'images de la mémoire, les musiciens médiévaux se sont aperçus qu'ils avaient, à leur insu, déclenché un mécanisme captieux qui devait, à terme, les entraîner « à la limite du pays fertile », mais répréhensible, de la subtilité maligne et de l'ingéniosité pure (Dufourt, 1981, p. 466-467).

La reproduction conditionne déjà la production. Elle ne suit pas la production : elle la précède — tandis que se succèdent des *régimes* de reproductibilité, à commencer par l'instrument de musique, prothèse qui vise la possibilité de reproduire les sons de l'instrument de manière stable et prévisible conformément à ce qui pourra être noté lorsque apparaîtra le solfège.

Quant à ce dernier, Dufourt a fortement insisté sur la singularité de ce qui advient sur le plan de la notation comme « artifice d'écriture » à la naissance de ce qui deviendra la musique occidentale savante *en insistant sur le rôle de l'œil*, « scalpel du clerc » :

> La musique occidentale n'est parvenue à se concevoir comme un acte original de création qu'à partir du moment où elle a soumis l'oreille à l'emprise du regard. [...] L'œil introduit l'oreille dans l'espace des opérations et des fonctions. [...] L'étalement des sons, leur seule projection sur une surface plane constitue en soi une nouveauté radicale. [...] Car la pensée musicale change alors de registre et de régime. [...] L'écriture permet de créer un monde qui ne doit plus rien au conformisme ni à la spontanéité. Par le truchement de l'œil, le scalpel du clerc, la musique s'est donc dépouillée de sa contingence. Elle répudie un passé millénaire qui reposait sur la continuité du geste vocal, sur l'infinie variété de ses inflexions, de ses mélismes, de ses enluminures. (Dufourt, 1981, p. 465-466)

*

Adorno voit dans le disque lui-même un nouveau mode d'écriture, et *dans cette mesure* une possibilité plus analytique d'écoute. Avant Bartók et comme lui (1937), il commence par dénoncer le gramophone et le disque comme instruments d'une écoute illusoire (1934). Mais c'est pour y trouver, comme Bartók, un moment dialectique d'emblée assimilé à une nouvelle forme d'écriture musicale dont il formulera pleinement la nécessité en 1969.

> Des origines du phonographe jusqu'au procédé électrique (qui peut très bien être apparenté, pour le meilleur et pour le pire, à ce qu'est le procédé photographique de l'agrandissement), les disques ne sont rien que des photographies acoustiques, celles que le chien reconnaît en frétillant de joie. [...] Le mot Platte (« le mot peut désigner aussi bien le disque que la plaque photographique ») signifie le modèle bidimensionnel d'une réalité qui peut être multipliée à loisir, être déplacée dans l'espace et dans le temps, et échangée comme une marchandise. Elle doit pour cela sacrifier sa troisième dimension : sa hauteur et son abyssale profondeur. (Adorno, 1995, p. 144)

Et pourtant, cette bidimensionnalité est proche de celle en quoi consista aussi l'écriture qui rendit possible la musique savante, que Adorno veut ici défendre en montrant que le disque est aussi une nouvelle écriture :

> En ce que la musique, par le disque, se trouve retirée à la production vivante et à l'exigence d'une pratique artistique, en ce qu'elle se trouve donc figée, elle réveille en elle, en se figeant, cette vie qui, autrement, passe et s'échappe. [...] Sa légitimité [du disque] précisément, grâce à la réification qu'il opère, tient à ce qu'il fait réapparaître

une relation immémoriale, perdue et pourtant authentifiée : la relation de la musique et de l'écriture.

[…] La musique, précédemment transmise par l'écriture, d'un coup se transforme elle-même en écriture. […] Si les notes n'étaient jusqu'alors que les purs et simples signes de la musique, à présent, grâce aux sillons des disques, la musique se rapproche de façon décisive de son véritable caractère d'écriture. (Adorno, 1995, p. 146)

L'écriture était déjà reproductibilité ; le disque en inaugure un *nouveau régime — et une autre époque de la musique du même coup*. En 1969, Adorno précisera que

l'objectivation, c'est-à-dire la concentration sur la musique […], permet de se brancher sur une perception qui est de l'ordre de la lecture, comme lorsqu'on s'absorbe dans un texte. […] La possibilité de faire rejouer tout ou partie des enregistrements longue durée favorise une intimité que n'autorise pratiquement pas le rituel de la représentation. (Adorno, 1995, p. 151)

Autrement dit, c'est la *répétition* de la reproduction analogique qui permet la *scrutation* analytique. Que peut-on en conclure pour ce qui concerne la reproductibilité numérique ? Fabien Lévy introduit cette question en ces termes :

L'aspect graphémologique de l'écriture musicale, la notation en hauteurs fixes et en rythmes sur une portée, a assez peu changé en Occident du XIVe siècle au milieu du XXe siècle. […] Avec l'apparition du numérique, des précurseurs tels que Risset ou Chowning ont pu créer des œuvres de synthèse, certes au début un peu démonstratives […] mais où une grammatologie entièrement contrôlée permettait d'imaginer consciemment de nouvelles catégories cognitives inouïes. […] L'ère du numérique, en discrétisant les données au-delà de ce qu'offre la partition de Guido d'Arezzo, ouvrait enfin la possibilité de « composer le sonore ». (Lévy, 2002, p. 9)

*

Aujourd'hui, ce n'est plus seulement la science du folklore qui est appelée à évoluer, comme Bartók en vit la possibilité dans le disque. C'est la science de la musique en général, son intelligence globale, pour sa composition comme pour son écoute, qui a été et sera plus encore demain transformée par la numérisation. Pour préciser ce point, il convient de reconstituer rapidement l'histoire récente de cette nouvelle époque de la reproductibilité.

L'informatique musicale s'est initialement développée pour la production de sons synthétiques, qui n'existaient pas autrement que par le calcul binaire. Ne reproduisant pas des sons naturels (produisant des sons synthétiques), l'ordinateur est pourtant déjà et essentiellement une machine de reproduction : c'est un système de mémoires (vive et morte, de calcul et de stockage) qui opère sur des lignes d'éléments binaires, et qui, parce qu'il stabilise un signal, autorise des calculs sur ce signal précisément parce qu'il est reproductible et peut ainsi être soumis à des règles de réécriture.

Max Mathews met au point les premiers générateurs synthétiques de sons en 1957. Ce mouvement se poursuivra en France, notablement à l'Ircam, tandis que des travaux comparables sont menés dans le domaine des images, en particulier à l'INA.

Au cours des vingt dernières années, de nombreuses innovations technologiques ont permis le développement d'une électronique entièrement numérique qui *n'est plus proprement informatique*, et dont la première question *n'est plus la synthèse*. Un appareil numérique n'est pas un ordinateur, et tout appareil électronique est ou devient aujourd'hui numérique. Du même coup, la distinction entre supports analogiques d'un côté et informatiques de l'autre est à présent tout à fait dépassée. Cette évolution s'entame au cours des années 1980 avec l'apparition de la micro-informatique, de la norme MIDI, des premiers logiciels d'échantillonnage du son, des « boîtes à rythmes » et autres lutheries électroniques d'un marché de plus en plus ouvert au grand public, et enfin et surtout, avec le disque compact.

L'année 1992 est celle où le réseau Internet, rendu possible par la norme TCP-IP, devient accessible à de vastes publics. Cette décennie sera caractérisée par la combinaison de MIDI, de TCP-IP et des normes de compression MPEG, MP3, ainsi que du format hypermédia XML. Avec la numérisation généralisée du signal, un nouveau système technique se met en place, intégré et interopérable, affectant la musique sous toutes ses formes, et où se développent aussi bien le *home studio* et une lutherie très diversifiée que de nouveaux modes d'accès à la musique qui déstabilisent à long terme le marché du disque, et font aussi apparaître de nouveaux modes d'écoute — dont le *sampling* est un cas original.

Tout comme le disque le fit en son temps, le numérique inaugure une époque de l'écoute aujourd'hui encore très embryonnaire que Gould anticipe dès 1966 :

> Aussi limité soit-il, la manipulation des cadrans et des boutons est un acte d'interprétation. Il y a quarante ans, tout ce que l'auditeur pouvait faire consistait à mettre en marche ou à éteindre son tourne-disque — et éventuellement, s'il était très perfectionné, à en ajuster un tout petit peu le volume. Aujourd'hui, la diversité des contrôles qui sont à sa disposition nécessite de sa part une capacité de jugement analytique. Encore ces contrôles ne sont-ils que des dispositifs de réglage très primitifs en comparaison des possibilités de participation qui seront offertes à l'auditeur lorsque les actuelles techniques très sophistiquées de laboratoire seront intégrées aux appareils domestiques. (Gould, 1983, p. 88)

Cette nouvelle écoute, c'est aussi la possibilité d'accéder en ligne à des fonds musicaux, ce qui affectera à terme la radiodiffusion dans son ensemble, et de mettre en œuvre des technologies de requête par les contenus, applicables aux fonds musicaux, mais aussi des technologies de représentation musicale, d'imagerie musicale, d'annotation des sons, etc. Initialement consacrée à la synthèse des sons, l'informatique musicale, avec le traitement du signal et l'intelligence artificielle, a donc permis l'essor de technologies d'*analyse* applicables aux sons acoustiques, notamment instrumentaux et vocaux, ainsi qu'aux supports notés et évidemment aux sons synthétiques eux-mêmes.

Si le phonographe avait amputé l'oreille de ses yeux pour lire la musique et de ses mains pour la jouer, l'analyse numérique, comme le fit en son temps la partition de Guido d'Arezzo, permet une nouvelle projection graphique du temps musical, une nouvelle objectivation du son qui devient autrement représentable et manipulable et par là autrement discernable, installant une époque inédite de l'analyse musicale qui concerne autant les musiciens et les musicologues que les amateurs de musique en général : l'analyse, comme discernement, est un moment du jugement esthétique qui peut devenir accessible à tous.

La musique phonographiée, pour laquelle l'oreille tendait à devenir aveugle, laisse la place à des technologies d'imagerie et de représentations musicales numériques dont les systèmes de description et d'indexation des sons musicaux sont des éléments qui transformeront en profondeur les conditions d'accès à la musique.

*

C'est surtout la compréhension de la musique polyphonique qui pâtit de la transmission radiophonique, à moins que l'auditeur ne lise en même temps la partition. C'est pourquoi, d'un point de vue esthétique plus élevé, la diffusion radiophonique de la musique n'est encore qu'un succédané musical qui — du moins jusqu'à présent — ne peut en aucune manière remplacer l'écoute sur place de la musique vivante. (Bartók, 1995, p. 35)

La diffusion électronique de la musique ne remplacera jamais « l'écoute sur place de la musique vivante », parce qu'elle est une autre forme d'écoute, tout comme la lecture et l'exécution à quatre mains d'une symphonie transposée forment un élément de compréhension (et de plaisir raffiné) qui ne remplacera certes jamais son exécution orchestrale. Mais la diffusion de la musique par les technologies numériques peut à l'avenir très sensiblement faire évoluer la situation radiophonique que décrit Bartók. Car l'imagerie musicale permet non seulement que « l'auditeur lise en même temps la partition », mais que cette partition soit scrutée et analysée *chronographiquement*, que des formes en soient extraites et projetées, tandis que le son, diffusé au moyen de systèmes multicanaux, *spatialisé à domicile* par le *home theater*, devient répétable et appréciable à loisir dans des conditions de *très haute fidélité*.

Autrement dit, de nouveaux modes de diffusion sont possibles — tirant un parti proprement *musical* d'une radio augmentée, d'une hyper-radio[3] qui pourrait répondre au souci de Bartók :

> Pour ceux qui assistent régulièrement aux concerts, pour ceux qui ne renoncent pas à la pratique musicale active, pour ceux qui sont conscients des déficiences de la diffusion radiophonique, pour ceux qui les compensent éventuellement en lisant en même temps qu'ils écoutent la partition de l'œuvre diffusée, pour tous ceux-là la radio peut être très instructive, car elle leur donne une certaine image de ce qui se passe en des lieux inaccessibles. Mais, en ce qui concerne son effet bénéfique sur les masses, jusqu'à présent je ne suis pas très confiant. (Bartók, 1995, p. 37)

Pierre Boulez, qui rappelait récemment que pour Stravinsky « on écoute la musique avec les yeux » remarquait (en le déplorant) : « On apprend à écrire, à lire, mais on n'apprend pas à écouter ou à regarder » (Boulez, 2001, p. 29). Il ne fait pas de doute qu'une politique hardie à la fois d'éducation et de création peut changer cette situation — et que là est le rôle en premier lieu des pouvoirs et institutions publics au moment où la technologie ouvre à l'évidence des possibles tout à fait inédits et inouïs.

*

Sylvain Auroux a montré que l'évolution technique de l'écriture, comme « processus de grammatisation » de la parole par sa reproductibilité alphabétique, précède la théorie du langage, puisqu'elle la rend *possible, et rend par là même possible une nouvelle façon de parler*, tandis qu'une illusion rétrospective donne à croire que ce sont les théories du langage qui ont permis les avancées techniques de l'écriture et donc sa naissance (Auroux, 1993).

On doit supposer de même que la transformation grammatique (Auroux) prépare une révolution grammatologique (Lévy/Derrida) aussi bien dans le domaine de l'écriture musicale que dans celui de l'analyse et de la théorie musicales. Séparer ces deux questions serait le fait d'une courte vue — même si les deux voies de la création et de l'analyse peuvent investiguer de façons distinctes la situation nouvelle. En toute logique, il devrait s'avérer après coup que ces deux voies se rejoignent pour l'invention d'une autre époque du musical.

BIBLIOGRAPHIE

ADORNO, Theodor (1995), « La forme du disque », *Instruments, Cahiers de l'Ircam*, n° 7, p. 143-147.

AUROUX, Sylvain (1993), *La révolution technologique de la grammatisation*, Liège, Mardaga.

BARTÓK, Béla (1995), « Musique mécanique (1937) », *Instruments, Cahiers de l'Ircam*, n° 7, p. 27-40.

BOULEZ, Pierre (2001), « Prenons garde à la démagogie », *Revue des deux mondes*, janvier, p. 28-34.

DUFOURT, Hugues (1981), « L'artifice d'écriture dans la musique occidentale », *Critique*, numéro spécial « L'œil et l'oreille. Du conçu au perçu dans l'art contemporain », p. 465-477.

3. Des esquisses d'une telle radio ont été réalisées à l'Ircam en 2003-2004 ; voir <www.ircam.fr> puis « Ressources en ligne » puis « Web Radio ».

GOULD, Glenn (1983), « Idées », *Le dernier puritain*, Paris, Fayard, p. 23-118.

LÉVY, Fabien (2002), « L'écriture musicale à l'ère du numérique », *Culture et recherche*, n° 91-92, p. 9-10 ; <www.culture.gouv.fr/culture/editions/r-cr/cr91_92.pdf>.

STIEGLER, Bernard (1984), « Programmes de l'improbable, courts-circuits de l'inouï », *InHarmoniques*, n° 1, p. 126-159.

STOURDZÉ, Yves (1987), *Pour une poignée d'électrons*, Paris, Fayard.

SZENDY, Peter (1995), « Pour commencer » suivi de « (Re)lire Bartók (déjà, encore) », *Instruments, Cahiers de l'Ircam*, n° 7, p. 9-23.

SZENDY, Peter (2001), *L'écoute : une histoire de nos oreilles*, Paris, Minuit.

Voir la musique aujourd'hui ?

Réjean Beaucage

Imaginez l'auditeur moyen chez lui vers dix heures du soir. Il met en marche sa radio, qui diffuse, je suppose, la *Neuvième, la Fantastique* ou *le Sacre*. Laissons de côté toute question d'école, de style ou de « goût plus ou moins formé » de l'auditeur. Voulez-vous me dire où est la valeur d'*intimité* de ce programme ? Étonnez-vous donc si notre auditeur recherche Pierre Tartempion et sa musique douce avec Jean Jolicœur chanteur de charme. Vous remarquez tout de suite que c'est un genre né de l'invention du micro et j'entends immédiatement le musicien sérieux s'indigner : C'est surtout ce que la radio nous a apporté : les non-valeurs, l'avilissement du goût public, la dégradation de la musique. Vous aimez mieux retourner à vos symphonies, je sais, et vous confirmez ainsi ce que je pensais au début : l'abandon. Bouchons nos oreilles, cachons-nous la tête pour mieux ignorer. Or ces non-valeurs, c'est précisément vous qui les avez installées là où elles sont maintenant : il y avait une place à prendre, un réel devoir social à remplir, mais vous avez préféré déserter. Tout y était neuf et aucun chapitre de Vincent d'Indy n'y est consacré, il fallait donc créer, non pas des théories esthétiques, mais bien de la musique : Manque d'inspiration ? Manque d'humilité ? Paresse ? ou incapacité ?

La radio, le cinéma, les klaxons d'autos, l'auto-radio, le sifflet du train, le métro, la publicité radio et cinéma, la Voix de son maître, le restaurant, la musique fonctionnelle, le rendement industriel, Barnum et son tohu-bohu, le bar, le dancing, le cabaret, les hurlements des trompettes noires, les pompiers, tout cela, toute cette vie actuelle est rythmée par des sons ignobles ou sublimes et vous vous en désintéressez, vous qui vous dites « musiciens servant le plus noble des Arts » ? Bien sûr, le documentaire sur la fabrication en série des camemberts est un crime pour nos oreilles, les actualités un sinistre assassinat, tout cela est à vomir, mais c'est à vous que nous le devons : à votre criminel abandon. Notre civilisation est en révolution dans tous les domaines — on ne l'est jamais dans un seul — et vous ne vous occupez que de savoir si la dernière œuvre dodécaphoniste ne se rattache pas par certains aspects au chromatisme de *Tristan* et de polémique en polémique vous écrivez vingt-cinq mesures pour illustrer vos théories, cependant que vous laissez le public sur sa faim de musique. Il se rassasie, soyez-en sûr ; les arrangeurs s'en chargent. (Garrett, 1950, p. 69-70)

C'est de la radio et du cinéma dont il est question dans cette longue citation extraite d'un article de Jean-Wilfrid Garrett publié au cœur du siècle dernier. L'auteur y fustige les compositeurs de musique contemporaine pour leur incapacité à s'adapter aux développements de la technique, abandonnant ces nouvelles avenues fort prometteuses à d'autres musiciens plus prompts à offrir au public *ce qu'il veut*... Un demi-siècle plus tard, alors que la musique contemporaine est expulsée sans ménagement des quelques refuges radiophoniques qu'elle avait malgré tout réussi à s'aménager, rappeler les accusations de Garrett, c'est remuer le couteau dans la plaie. Cependant, à défaut d'avoir su éviter cette blessure, peut-être peut-on espérer éviter les prochaines !

Plus loin, Garrett poursuit son argumentation à propos du cinéma, donnant une description du dessin animé *Blanche Neige*, sorti des studios de Walt Disney :

Connaissez-vous une opérette contemporaine qui ait eu le succès de ce film ? Car *Blanche Neige* est en fait une opérette sans la convention de la scène et d'un livret affligeant. C'est le prototype du renouvellement d'un genre moribond par le renouvellement de la technique. (Garrett, 1950, p. 73)

Le refus d'une très grande proportion des compositeurs de prendre en compte, encore aujourd'hui (en 2006 !), ne serait-ce que l'invention de l'électricité, peut laisser songeur quant à leur capacité d'adaptation... Malgré tout, la marche de l'histoire se poursuit et nous voici, encore une fois, à un nouveau carrefour technologique où, plus que jamais, l'image rencontre le son. Si, tel que l'expose Garrett, l'opérette a dû attendre l'arrivée du dessin animé pour se muer en une nouvelle forme, perfectionnée, de divertissement, ne peut-on imaginer que les systèmes de reproduction multicanaux qui font leur entrée dans tous les foyers par le biais des équipements de cinéma maison puissent être appelés à jouer un rôle dans l'évolution de la musique contemporaine ? Bien entendu, au centre de ces nouvelles chaînes *haute-fidélité*[1] trône une composante importante : le téléviseur. Ne serait-ce pas une forme de gaspillage éhonté que de le laisser éteint ? N'aurait-on pas, alors, l'impression de faire une expérience incomplète, laissant un désagréable arrière-goût d'inachevé ? Et si la musique n'avait attendu depuis son apparition que de trouver son ultime complément : l'image ? L'opéra, avec ses éclairages, sa mise en scène, ses décors, son texte, ses chanteurs qui sont aussi des acteurs et, bien sûr, sa musique, n'aura-t-il été qu'un premier balbutiement de ce véritable art total que peut devenir la vidéomusique ? À

1. On peut rappeler le mot de Stravinsky : «*And why incidentally should they be called high fidelity records ? Isn't fidelity enough ?*»

l'heure où l'équipement audiovisuel domestique se développe à une vitesse exponentielle, la question se pose.

La révolution du clip

On le sait bien, le cinéma muet n'a pas eu à attendre très longtemps avant que quelqu'un ait l'idée de lui greffer une bande sonore, ne fut-ce que pour camoufler le bruit très désagréable que produisait le projecteur. Ce fut d'abord un pianiste ou un ensemble de musiciens, puis vint après diverses tentatives et perfectionnements (les Phonofilms de Lee De Forest, en 1923 — le procédé Vitaphone en 1926) le fameux *Jazz Singer* d'Alan Crosland, premier long-métrage incluant dialogues et musique enregistrés (1927). Toute personne ayant récemment assisté à une séance cinématographique sait que le son a acquis au cinéma une grande importance et, trop souvent, un volume[2] qui suffirait à couvrir le bruit d'une bonne douzaine de projecteurs... Au milieu des années 1960 apparaît la vidéo portative. La compagnie Sony propose en effet dès 1965 son Portapak. Le premier acheteur de cet appareil révolutionnaire aurait été nul autre que Nam June Paik (1932-2006), artiste multimédia d'avant-garde qui a largement exploré les potentialités artistiques de la télévision. En facilitant grandement la mobilité du vidéaste, le nouvel équipement de Sony sera dans un premier temps un véhicule privilégié pour les artistes et les artisans du documentaire.

Les développements à la télévision d'émissions présentant des artistes interprétant les chansons à la mode, véritable aubaine publicitaire pour l'industrie du disque populaire, mais aussi l'évolution de la vidéo à travers les expérimentations des artistes d'avant-garde et l'accessibilité relative du média (en comparaison avec celle du média cinématographique) ont tracé la voie à l'arrivée du vidéoclip, pendant visuel du disque 45 tours par lequels les interprètes de musiques populaires faisaient connaître leurs œuvres le plus susceptibles de connaître le succès.

> As David Foster Wallace pointed out in *Infinite Jest*, the battle between radio and television was not a technological gap between audio and video; television is audio *plus* video. It was never a fair fight, which is why TV so easily won. It was not that video killed the radio star; it was that TV became a more compelling type of radio[3]. (Klosterman, 2005, p. 33)

MTV, une station américaine de télévision entièrement consacrée à la diffusion de vidéo-clips[4], est née en 1981. À cette époque, un certain nombre d'artistes ont pu faire espérer de grandes choses pour cette nouvelle forme d'art. Le travail d'un Peter Gabriel, notamment, n'a pas vieilli comme la grande majorité des clips produits au début des années 1980[5]. Malheureusement, le caractère foncièrement publicitaire du vidéoclip s'est rapidement réaffirmé...

2. Le journal *Scotland on Sunday* du 7 mai 2006 (Lessware, 2006) rapporte que le volume des effets sonores du film *The Da Vinci Code* a dû être atténué afin d'obtenir la cote «12A», qui permet aux enfants de 12 ans et plus d'assister à l'une de ses représentations. Les membres du British Board of Film Classification considéraient que le volume de ceux-ci ajoutait une telle tension au contenu projeté qu'ils pourraient être dommageables pour les moins de 15 ans.

3. Notez l'utilisation du titre de la chanson du groupe anglais The Buggles «Video Killed the Radio Star», parue en 1979.

4. Elle l'est à vrai dire de moins en moins... Ses directeurs ayant compris qu'en diffusant 12 vidéoclips à l'heure, ils offraient 12 occasions au spectateur de changer de chaîne, les émissions de format standard ont rapidement repris le dessus!

5. Voir le DVD «Peter Gabriel : Play — The Videos», WEA, 2004.

6. Jello Biafra (1986), chanteur du groupe américain The Dead Kennedys, cité dans l'article de Klosterman (2005).

7. Le code 5.1 signifie : cinq haut-parleurs périphériques et un caisson d'extrêmes graves.

8. Dans les deux cas, s'ils sont diffusés à partir d'un lecteur de DVD, une image fixe est diffusée sur l'écran du téléviseur, ce qui constitue véritablement le degré zéro de l'audiovisuel.

« They've finally figured out a way to get people to watch commercials 24 hours a day[6]. » Si l'on pouvait toujours espérer des œuvres alliant musique, image et créativité, il ne fallait pas s'attendre à les trouver à la télévision.

Une réponse partielle est arrivée avec la commercialisation de la cassette vidéo, qui permet au moins à l'utilisateur de choisir ce qu'il veut voir/écouter, mais ce créneau était à 99 % occupé par le marché cinématographique. La vraie réponse allait arriver en 1995, avec la mise au point du DVD (Digital Versatile Disc, ou disque numérique polyvalent), pendant audiovisuel du CD (Compact Disc, ou disque compact, dont la mise en marché remonte à 1982) ; un DVD peut contenir 7 fois plus de données qu'un CD. Grâce au format du DVD, plus stable et plus souple d'utilisation que celui de la cassette vidéo, le bassin d'enregistrements disponibles a littéralement explosé et cela dans tous les genres, les amateurs étant gavés d'enregistrements d'archives couvrant toute l'histoire du cinéma, de même que celle de la télévision. Les systèmes de cinéma maison étant à même d'émuler la reproduction multicanal à partir d'un enregistrement stéréo (c'est-à-dire redistribuer le son enregistré sur les deux canaux de départ à travers cinq ou six haut-parleurs en donnant l'illusion de la spatialisation), les enregistrements d'archives allaient pouvoir occuper l'amateur jusqu'à ce que le marché puisse lui offrir des produits originaux et conçus spécifiquement pour être reproduits pour un système 5.1 ambiophonique[7].

Évidemment, une prise de son ambiophonique est plus complexe à réaliser qu'une prise de son stéréo, ce qui multiplie les coûts de production (d'autant que, puisque nous sommes toujours dans une période de transition, il est préférable pour un producteur de pouvoir offrir un disque qui puisse être lu aussi bien pour une reproduction en stéréo que pour une reproduction ambiophonique). Cela peut être un frein à la production d'enregistrements de musique contemporaine, dont on sait assez qu'elle doit se contenter d'un public restreint. Cependant, il y en a un. Voyons un peu les possibilités qui s'offrent à lui.

Multiformat, multigenre, multiconception

Nous ne parlerons guère ici des formats SACD (Super Audio CD) ou DVD audio, tous deux développés pour remplacer le CD, irrémédiablement prisonnier de la diffusion en stéréo. Ces nouveaux formats strictement audios[8], bien qu'ils soient multicanaux, pourraient d'ailleurs être appelés à disparaître rapidement en raison de la concurrence d'Internet, d'une part, et du DVD-Vidéo d'autre part. On l'a dit plus haut, à quoi bon s'équiper d'un système de cinéma maison si c'est pour laisser le téléviseur éteint ?

Rappelez-vous les échecs des tentatives de représentation scénique de *l'Enfant et les sortilèges* et demandez-vous si la forme d'expression idéale ne serait pas le dessin

animé? Demandez-vous aussi ce que deviendra le ballet, le jour où le cinéma résol-
vant industriellement les problèmes de son en relief et de l'image en relief et en
couleurs les sortira du laboratoire et nous offrira des « dessins » de masses colorées se
mouvant et se transformant au rythme de sons essentiellement mobiles eux aussi,
dans toutes les directions? Cela ne pourra d'ailleurs résulter que d'un travail d'équipe;
c'est-à-dire d'une humilité absolue et dans chaque détail vis-à-vis du travail
d'ensemble. (Garrett, 1950, p. 74)

Garrett touche ici trois points importants : la description de ces « *dessins* » *de
masses colorées se mouvant et se transformant au rythme de sons essentiellement
mobiles eux aussi* évoque avec une précision étonnante, s'agissant d'un texte de
1949, les vidéomusiques d'un Jean Piché, par exemple ; le ballet risque en effet,
comme il le souligne, d'être un véhicule privilégié pour ce type de production ambiophonique, puisque l'élément visuel y est déjà conçu artistiquement;
enfin, la collaboration entre créateurs deviendra incontournable si l'on veut
obtenir des œuvres qui soient fortes tant du côté de l'image que du côté du
son, ces deux aspects méritant aussi bien l'un que l'autre toute l'attention que
peuvent leur apporter des spécialistes de ces domaines.

La vidéomusique telle qu'elle est pratiquée par Jean Piché, qui en est un
pionnier et qui en enseigne les rudiments à l'Université de Montréal, comporte
certaines particularités. D'abord, les aspects visuels et sonores sont généralement réglés par un seul et même créateur, ce qui expose doublement celui-ci
à l'accusation de dilettantisme dans l'un ou l'autre des aspects de son œuvre, le
forçant à exceller dans deux domaines bien différents ; cela réussit certes à
Piché, mais il est peu probable que la généralisation de cette pratique en solo
suscite un grand nombre d'œuvres fortes, puisque peu de créateurs arrivent à
maîtriser suffisamment les deux aspects de l'œuvre ; une faiblesse perçue dans
l'un d'eux suffit à faire sombrer l'ensemble. De plus, ce type d'œuvre, bien
qu'il soit encore assez récent, est technologiquement apparu à une autre
époque... L'écran à haute définition n'était pas encore offert, et l'utilisation
d'écrans multiples (souvent trois chez Piché et ses émules), n'était, ou n'est
encore, qu'une anticipation de ce que permettra bientôt la technologie avec un
seul écran. Cette utilisation d'écrans multiples, si elle permet, en situation de
concert, des effets spectaculaires, n'est malheureusement pas compatible avec
la reproduction à la maison. Cependant, la plus récente création de Piché,
Sieves, une commande du Festival SoundPlay de Toronto en 2004, est conçue
pour le nouveau format vidéo haute définition (16 : 9) sur un seul écran, ce
qui marque un pas dans la bonne direction (celle qui nous ramène à la maison).

En ce qui concerne le ballet, en effet, des productions intéressantes, alliant
un travail soigné sur le plan visuel avec une diffusion ambiophonique,

commencent à voir le jour. La production *Amelia* (Opus Arte, 2006), de la compagnie La La La Human Steps, pour laquelle le directeur de la compagnie, Édouard Lock, a lui-même réalisé un film original à partir de sa chorégraphie, montre éloquemment la voie à suivre. Il ne sera sans doute pas suffisant de se contenter de filmer le ballet sur scène ; le cinéma offre des possibilités que les créateurs désireux d'offrir un produit visuel artistiquement viable ne peuvent ignorer. Voici le type de production qui sépare les simples cartes postales des œuvres multimédias. Le DVD devient une extension de l'œuvre originale, la musique (de David Lang, dans ce cas-ci), offerte au format DTS 5.0, y gagne une interaction nouvelle avec sa contrepartie visuelle. L'opéra, même filmé *in situ* (par opposition à une nouvelle production pour la caméra), peut aussi bénéficier d'un traitement original lorsqu'il est filmé par un artiste de l'image. C'est d'autant plus important dans le cas de l'opéra contemporain, dont on regrette trop souvent le peu de représentations et l'absence de reprises. Une grande production comme celle de l'opéra-fleuve en deux parties *Rêves d'un Marco Polo*, de Claude Vivier, donnée en 2004 à Amsterdam par Reinbert de Leeuw dirigeant l'Asko Ensemble, le Schönberg Ensemble et six solistes, dans une mise en scène de Pierre Audi, peut ainsi entrer dans le salon de l'amateur avec toute sa puissance. La réalisation de Roeland Hazendonk (Opus Arte, 2006) est un modèle du genre qui réussit à offrir à l'œuvre scénique originale une certaine pérennité à travers sa mutation vers une autre forme d'art, tout aussi originale.

De nombreux documentaires sur la musique contemporaine et ses artisans commencent à trouver le chemin des tablettes des détaillants, ce qui est fort louable, bien sûr, puisque l'on ne saurait compter sur nos chaînes de télévision pour nous les présenter (ce sont presque exclusivement des productions européennes[9]). L'excellente série télévisée *Leaving Home — Orchestral Music in the 20th Century*[10], présentée par Simon Rattle, en est un bon exemple. La collection française Juxtapositions (paraissant chez Idéale Audience (<www.ideale-audience.com>), avec des films consacrés à Arvo Pärt, György Kurtag, Philip Glass ou Pierre Boulez en est un autre. On applaudit aussi une étiquette comme Naïve, qui accompagne le CD « À quia » (MO 782164), consacré à des œuvres de Pascal Dusapin, d'un DVD comprenant un entretien avec le compositeur qui y explique sa démarche. Tout cela est une réponse réjouissante à la généralisation de la présence des lecteurs de DVD dans nos maisons, mais il ne s'agit pas de création. De ce côté-là, on remarque un projet fort intéressant paru en 2004 : « -40 — Films de propagande canadiens des années 1940 retravaillés » est une coproduction de l'Office national du film du Canada (ONF) et de COCOSOLIDCITI, un « organisme d'art sonore, visuel et virtuel, qui a pour mandat de produire des œuvres audiovisuelles numériques ». Pour

9. Il faut cependant mentionner l'effort important de l'étiquette américaine Mode Records, dont le DVD *Watershed IV*, présentant des œuvres de Roger Reynolds mixées au format 5.1 (avec, aussi, un mixage original stéréo réalisé par le compositeur) date de 1997. Il serait, selon la publicité, et selon toute probabilité, *The first classical DVD custom-designed for 5.1 Surround-Sound.*

10. Parue chez Arthaus Musik en 2005 en 7 DVD, la série est une coproduction RM Arts/LWTP/Channel Four/ABC/NPS/Canal 22 Mexico/MTV Finland/RAISATI (!) et date de 1996.

ce projet, on a demandé à des artistes de la vidéo de remixer les images de films choisis dans les voûtes de l'ONF sans toucher à la bande sonore, et à des artistes sonores de faire le contraire. Bien que les artistes sonores en question aient malheureusement été choisis parmi la frange techno-boum-boum du vaste spectre musical, il reste que l'expérience présente un exemple inspirant des possiblités de contrepoint qu'offre le couple image et son. On regrette seulement que l'exercice n'ait pas été poussé jusqu'au bout et que la bande sonore de ce DVD n'ait pas été conçue pour une diffusion sur système multicanal... Notons aussi, de 2002, le DVD 13 *Couleurs du soleil couchant*, produit par Accord/Universal et qui présente, en format 5.1, des œuvres de Tristan Murail pour lesquelles Hervé Bailly-Basin a réalisé l'aspect visuel (récompensé par le Grand Prix Audiovisuel 2002 de l'Académie Charles Cros). Également à souligner, le vidéo-opéra *An Index of Metals*, une collaboration entre le compositeur Fausto Romitelli et le vidéaste Paolo Pachini ; produit par l'étiquette belge Cyprès en 2005, le boîtier comprend une version audio sur disque compact et un DVD 5.1 sur lequel on trouve la version vidéographique originale, conçue pour accompagner l'interprétation de l'œuvre par une projection sur trois écrans, et une version visuelle remixée pour la télévision. Bel exemple de production réalisée en pleine époque de transition !

On peut certes déplorer que les créations originales de compositeurs de musique contemporaine intégrant vidéo et diffusion sur système multicanal soient encore peu nombreuses, et rien n'indique un retournement majeur de cette situation dans un avenir proche. L'une des parutions américaines les plus originales de ces dernières années date de 2003 et est due au compositeur Steve Reich et à la vidéaste Beryl Korot ; elle s'intitule *Three Tales*. Le coffret Nonesuch (79662-2) offre l'œuvre, comme le Romitelli, sur formats CD et DVD (vidéo multicanal). J'avoue qu'après avoir visionné le DVD, l'œuvre musicale reproduite sur le CD m'a semblé incomplète... Doit-on en déduire que Steve Reich a manqué son coup ? Qu'il n'a pas su produire une œuvre musicale forte et qui puisse se tenir seule ? Qu'il est maintenant un compositeur moins intéressant parce qu'il accepte d'avoir recours au support de l'image ? Ce serait choisir la position de l'observateur qui reste loin derrière... Le travail visuel de Beryl Korot constitue une belle réalisation artistique en soi, comme la musique de Reich, mais c'est leur conjonction qui forme l'œuvre complète, et c'est cette dernière qui s'inscrit dans un mouvement d'avant-garde, plutôt que chacune de ses parties. On ne se surprend pas à l'idée d'un compositeur travaillant seul chez lui (peut-être même *au crayon*) à sa prochaine pièce, mais l'idée d'un cinéaste réalisant un film (muet) dans son appartement semble parfaitement incongrue. N'est-il pas temps que ces deux-là se rencontrent ? Qu'ils mettent en commun leurs talents pour produire enfin la jonction entre deux arts qui n'en formeront bientôt plus qu'un ? Le développement historique de la musique, dans ses rapports à la danse, au théâtre, à l'opéra, ne nous mène-t-il pas directement à cette ultime mutation ? La *musique pure*, dont on se plaint tant qu'elle le soit de moins en moins, n'attend peut-être que celle-ci pour retrouver une puissance et un pouvoir d'attraction qui lui font de plus en plus défaut. Qu'on se rassure : il sera toujours possible de jouer du piano dans le salon, mais, après tout, le papillon est-il pris de nostalgie à la vue d'une chenille ?

Le mot de la fin revient à Jean-Wilfrid Garrett, qui concluait le texte déjà largement cité ici par ces mots :

> D'autant qu'il n'est pas question un seul instant de faire table rase de tout, mais lâchons le mot : de demander à toutes les *écoles* de ne pas se contenter d'illustrer conventionnellement d'arides théories mais d'en rechercher, *parallèlement*, l'application au monde vivant ; j'entends, de ne pas chercher le génie intemporel et qui ne réussit le plus souvent qu'à être inactuel, et d'aucun temps — car qui peut prédire l'avenir ? — mais de vivre avec nous de temps en temps et je dirais même de nous y aider. Ce n'est pas une nouvelle querelle d'écoles, c'est une communion... et une preuve de vitalité. (Garrett, 1950, p. 76)

BIBLIOGRAPHIE

GARRETT, Jean-Wilfrid (1950), « L'enregistrement et l'évolution des formes musicales », *Polyphonie*, n° 6, *La musique mécanisée*, p. 67-76.

KLOSTERMANN, Chuck (2005), « MTV — Giving the people what they want (Jesus — is this really what they want?) », *SPIN — 20 Years of Alternative Music*, Will Hermes et Sia Michel (éd.), New York, Three Rivers Press, p. 33-35.

LESSWARE, Jonathan (2006), « *Da Vinci Code* soundtrack too "tense" for children », *Scotland on Sunday*, 7 mai.

STRAVINSKY, Igor et Robert CRAFT (1967), *Themes and Episodes*, New York, Knopf.

Pour une « écoute informée » de la musique contemporaine : quelques travaux récents

Nicolas Donin

La musique contemporaine[1] est réputée difficile d'accès.

Elle l'est : le discours des compositeurs et des musicologues à son sujet est chargé de références historiques et de vocables techniques de moins en moins partagés ; les œuvres, généralement conçues à destination du concert, finissent rarement par s'intégrer à un répertoire donnant lieu à des auditions régulières ; les enregistrements discographiques et radiophoniques sont de plus en plus mal diffusés ; les connaisseurs, peu nombreux et ne dialoguant guère en dehors des entractes de concerts, ne se constituent pas en collectifs ; etc.

De ces tendances, beaucoup d'explications plus ou moins valables peuvent être proposées. Celles qui doivent nous intéresser prioritairement — nous, amateurs et professionnels de la musique contemporaine — sont celles qui donnent aussi des éléments de solution aux problèmes qu'elles diagnostiquent (car ils n'ont rien d'une fatalité). L'une d'elles, régulièrement pointée par différents auteurs et donnant lieu à divers travaux de recherche et développement (notamment à l'Ircam) depuis plusieurs années, est le manque cruel d'intérêt de la majorité des musiciens pour la conception et la pratique d'*outils d'écoute contemporains*, permettant une écoute dite « active » ou « instrumentée » plutôt qu'une consommation passive et immédiate[2].

De nos jours, les logiciels voués à la génération et à la manipulation de sons abondent, des plus simples aux plus pointus ; mais qu'en est-il des logiciels

1. Précisons comme il se doit : la musique savante occidentale, essentiellement écrite et de concert, connue pendant la deuxième moitié du vingtième siècle sous le vocable francophone de « musique contemporaine ». (Prendre en charge les implications de ces guillemets serait l'objet d'un autre article ; nous conservons ici la catégorie existante.)

2. Dans un précédent article (Donin, 2005), j'ai tenté de caractériser l'une des principales contradictions (relative au modèle d'une écoute de concert absolument attentive) pouvant expliquer un si faible intérêt — non sans verser aussi au dossier quelques contre-exemples pris chez différents compositeurs du siècle dernier.

3. Voir par exemple la bibliographie proposée dans le numéro de *Circuit* intitulé *Qui écoute ?* 2 (« Post-scriptum bibliographique », *Circuit. Musiques contemporaines*, vol. 14, n° 1, 2004, p. 103-106).

4. Composée de Samuel Goldszmidt (ingénierie multimédia), Jacques Theureau (anthropologie cognitive) et l'auteur (musicologie), ainsi que de chercheurs et étudiants associés. Voir <www.ircam.fr/apm.html>.

d'aide à l'écoute ? L'idée d'une exploration auditive assistée par ordinateur n'a rien d'incongru ni de futuriste lorsque l'on pense, d'une part, au riche passé des pratiques et techniques d'écoute développées pour l'appréhension de la musique savante depuis au moins l'époque beethovénienne[3], d'autre part, à la capacité d'investissement des industries informatique et culturelle dans le contrôle des technologies d'accès à la musique — tant dans ses aspects les plus triviaux (multiplication des formats propriétaires liant des données numériques à des outils de lecture) que dans ses aspects les plus liés à la cognition musicale (qualité de la compression du son, nature des représentations visuelles accompagnant le flux audio, pertinence musicale des métadonnées permettant de rechercher un fichier dans une base individuelle, pertinence ensuite des moyens de navigation dans un fichier son donné).

Réaliser de bons outils informatiques d'aide à l'écoute supposerait des recherches empiriques nombreuses et bien coordonnées sur les techniques d'écoute contemporaines, dans leur variété et leur historicité. Ces enquêtes alimenteraient une activité de conception technologique à long terme, peu soumise aux impératifs commerciaux actuels qui poussent massivement à une consommation insatiable de musiques et de technologies plutôt qu'à un usage raisonné des unes au service des autres. En attendant (ou pour commencer !), rien n'empêche d'esquisser des propositions, certes locales et particulières, mais allant résolument dans la direction d'une exploration auditive assistée (et non simplement contrainte) par l'ordinateur : je le ferai à travers la présentation de quelques travaux de l'équipe Analyse des pratiques musicales[4] à l'Ircam, réalisés dans le cadre d'un programme de recherche en musicologie qui comprend à la fois des études sur les pratiques musicales savantes et la réalisation de dispositifs informatiques d'aide à l'écoute des musiques contemporaines. Je me référerai principalement à un ensemble de travaux menés de 2003 à 2006, portant sur l'activité de composition de Philippe Leroux et plus particulièrement sur son œuvre *Voi(rex)* (composée en 2002).

Transmettre l'écoute qu'a le compositeur de sa propre œuvre ?

Ces travaux sont issus d'un triple projet de recherche, de composition et de transmission, qui portait sur une œuvre alors tout récemment composée par Philippe Leroux et dont il avait conservé beaucoup de documents préparatoires : *Voi(rex)* pour voix, ensemble instrumental et électronique (œuvre composée en 2002, créée en janvier 2003). Le compositeur était disposé à participer à un travail approfondi sur cette œuvre, visant à mieux comprendre et mieux faire comprendre la musique contemporaine à travers le cas de cette œuvre particulière.

Le *projet de recherche* consistait, pour Jacques Theureau et moi, à croiser analyse musicale (en l'occurrence l'analyse génétique, qui étudie l'œuvre en relation avec ses esquisses) et anthropologie cognitive (en l'occurrence l'étude du « cours d'action »[5], paradigme issu de la recherche en ergonomie) autour d'une reconstitution du travail de composition de *Voi(rex)* par Philippe Leroux. Cette reconstitution a été réalisée en collaboration avec le compositeur, essentiellement en 2004 et 2005.

Le *projet de composition* consistait, pour Philippe Leroux, à réaliser une nouvelle œuvre exploitant les possibles non aboutis dans *Voi(rex)*. La forme de cette nouvelle œuvre devait mimer de façon globale la chronologie de la composition de l'œuvre précédente et en constituer une sorte d'analyse génétique composée. Conçue de l'automne 2004 au printemps 2006, cette œuvre, intitulée *Apocalypsis*, a été créée à Radio-France en juin 2006 dans le cadre du festival Agora de l'Ircam.

Le *projet de transmission* consistait, pour Samuel Goldszmidt, Philippe Leroux, Jacques Theureau et moi, à réaliser collectivement des prototypes de documents hypermédias permettant à leurs lecteurs de saisir par différents biais la logique compositionnelle de *Voi(rex)*. Ces sortes de guides d'écoute modernes s'inscrivaient par ailleurs dans le cadre d'un projet plus transversal explorant différentes façons d'écouter la musique et de la faire entendre (voir Donin, 2004), au sein duquel l'écoute d'une œuvre contemporaine par son compositeur pouvait constituer un cas particulièrement intéressant. L'essentiel des prototypes réalisés à cette occasion en 2003-2004 a été finalisé et publié récemment dans un DVD-Rom (Donin, Goldszmidt et Theureau, 2006) joint à la revue annuelle de l'Ircam (voir <http://inoui.ircam.fr>). C'est principalement de ces dernières réalisations qu'il va être question par la suite — mais toujours en relation avec les deux autres projets puisque la réalisation des trois s'est déroulée non seulement dans le même temps, mais à travers des interactions réciproques.

Tout au long de la composition de *Voi(rex)*, Philippe Leroux s'est référé à des idées directrices, généralement attachées à un seul des huit mouvements prévus de l'œuvre (… qui en comprend finalement cinq), comme par exemple : la « structure [de la] danse sacrale », le « scat », ou encore la « propagation de figures » (respectivement pour les mouvements II, VI et VII initialement prévus). On peut généralement trouver trace de telles idées dans les brouillons et notes les plus anciens conservés par lui, puis dans les plans de l'œuvre (plan général et plans des mouvements) ; elles ont constitué une référence constante durant la composition des mouvements correspondants et restent, du point de vue du compositeur, des notions pertinentes pour aborder l'œuvre après coup

5. Voir <www.coursdaction.net>.

NICOLAS DONIN

53

(elles sont d'ailleurs dûment mentionnées dans le texte de présentation de *Voi(rex)* par Philippe Leroux qui figure dans les notices de concert et de disque). Aussi est-il apparu naturel de réaliser un prototype par mouvement, suivant une idée directrice prépondérante à chaque fois.

Parallèlement à ce processus de co-conception des documents hypermédias, au fur et à mesure qu'avançaient le recueil puis l'analyse des données sur la genèse de *Voi(rex)*, des écarts se manifestaient entre le discours usuel de Philippe Leroux sur son travail de compositeur et la reconstitution que nous faisions avec lui de son activité : certes, telle idée avait été importante pour lui lors du travail de préparation ou d'écriture de la partition, mais il n'était pas toujours certain qu'elle soit essentielle à l'écoute de l'œuvre ni même à l'analyse de la partition. Ces écarts, loin d'invalider son discours usuel, allaient permettre d'affiner les partis pris des dispositifs hypermédias, qui refléteraient — alternativement ou en même temps — tant l'idée jugée essentielle au mouvement par le compositeur que les caractéristiques de son travail jugées primordiales par les chercheurs-auditeurs.

Différentes relations entre ces deux tendances ont été adoptées selon les cas, posant à chaque fois différemment la question de la transmissibilité (ou non…) de l'écoute de son œuvre par le compositeur — « l'écoute » étant prise ici en un sens partiellement indéterminé puisqu'il s'agissait moins de restituer une sorte de psychogramme de son processus auditif que de rendre visible, audible et manipulable une question musicale transversale à un mouvement de l'œuvre. L'analyse du dispositif hypermédia consacré au troisième mouvement de *Voi(rex)* permettra de préciser quelle signification attribuer aux adjectifs « visible, audible et manipulable ».

Restitution d'un espace de variation pertinent

Dans le troisième mouvement de *Voi(rex)*, des sons instrumentaux pré-enregistrés sont diffusés pendant l'exécution tandis que la partition jouée par les vrais instrumentistes simule divers traitements sonores ; de façon plus générale, le monde instrumental et le monde électroacoustique constituent des modèles l'un pour l'autre et sont tissés d'imitations réciproques. Dans son ensemble, ce mouvement est donc particulièrement représentatif de l'idée de « modèle du modèle » à laquelle se réfère Leroux pour caractériser l'ensemble de l'œuvre et qu'illustre la restitution hypermédia de ce mouvement.

Lors de la reconstitution des opérations de composition, il était apparu que le compositeur avait commencé à véritablement « écrire » ce mouvement (après une phase de relecture et de préparation des brouillons), non sur la partition comme il en a l'habitude, mais par l'agencement sur son séquenceur audionumérique habituel, ProTools, de fichiers sons provenant d'une séance de travail avec des instrumentistes, lors de laquelle ces derniers avaient joué plusieurs orchestrations des principaux accords utilisés dans *Voi(rex)*. Dans la foulée de cette simulation du début du mouvement, la partition et la partie électronique avaient été réalisées suivant la distinction entre différentes catégories d'imitation établie par l'usage initial des pistes du séquenceur (piste 1 : fichiers contenant les sons instrumentaux qui seront joués par l'ensemble pendant l'exécution ; piste 2 : fichiers de sons instrumentaux qui seront diffusés par les haut-parleurs pendant l'exécution ; piste 3 : fichiers issus de la manipulation de fichiers des lignes précédentes et qui seront diffusés pendant l'exécution ; etc.). Même si certaines opérations de composition ne pouvaient se faire que sur la partition (prise en dictée musicale et récriture de fichiers sons retravaillés avec GRM Tools), beaucoup avaient été faites depuis le séquenceur — le passage entre les deux supports étant facilité par l'homogénéité entre les secondes (unité temporelle propre au séquenceur) et la noire à 60 (dans la partition). Pendant nos entretiens avec Leroux, la comparaison seconde à seconde de l'enregistrement discographique de ce mouvement et de la session de travail ProTools la plus complète conservée a permis d'entrer dans le détail de la construction du mouvement ; accompagnée des commentaires du compositeur, la session nous donnait à voir et à entendre la genèse du mouvement d'une façon plus immédiatement sonore que les esquisses et brouillons ne le faisaient habituellement.

Le dispositif hypermédia consacré à ce mouvement (intitulé « Les manipulations du son dans le mouvement III *De part* [...] *En part* » — voir fig. 1) est une version à la fois simplifiée et enrichie de la session ProTools utilisée et archivée par le compositeur. Simplifiée, parce qu'elle distingue les fonctions des pistes de façon plus systématique que l'auteur n'avait eu besoin de le faire pour composer son mouvement ; simplifiée, aussi, parce qu'elle n'offre bien sûr pas toutes les fonctionnalités d'un logiciel de séquençage et de traitement audionumérique. Enrichie, par ailleurs, parce qu'elle intègre tous les sons du mouvement qui ne faisaient pas partie de la session (nous avons extrait ces nouveaux sons, pour l'occasion, des voies de mixage de l'enregistrement discographique) : partie vocale ; traitement en temps réel de cette dernière ; sons instrumentaux spécifiques de la partition. À l'ouverture de l'application, le lecteur dispose donc d'une simulation cohérente de l'ensemble du troisième mouvement, qu'il peut écouter en lançant la lecture globale simultanée de tous les fichiers sons (cf. le curseur traversant les neuf pistes dans la fig. 1).

Comme dans la session de travail originale de Philippe Leroux, les sons peuvent être écoutés séparément et repositionnés dans le temps. Comme dans

FIGURE 1. Photographie d'écran pendant l'écoute du 3ᵉ mouvement

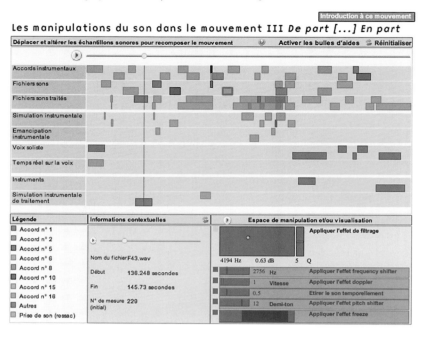

sa session, ils peuvent faire l'objet de manipulations particulières. Ces dernières étaient fortement liées à leur contexte : possibilités techniques de ProTools et des modules GRM Tools intégrés; contexte local des fonctions attribuées aux différentes pistes. Ces contraintes productives ont été restituées dans l'application : les sons de la première ligne (accords instrumentaux) peuvent engendrer des sons de la partie électronique par simple duplication, inversion ou redécoupe; les outils correspondants sont fournis au lecteur, qui peut créer grâce à eux un nouveau son, lequel apparaîtra sur la deuxième ligne. Ces fichiers sons peuvent eux-mêmes faire l'objet d'autres manipulations : celles pratiquées par Leroux au fil de la composition du mouvement (filtrage, *frequency shifting*, effet Doppler, *freeze*, etc. — voir le pavé en bas à droite dans la fig. 1). Les sons résultants de ces manipulations par le lecteur apparaissent quant à eux sur la troisième ligne, à côté des fichiers sons traités par le compositeur auxquels ils peuvent être comparés et combinés. Pour comprendre la logique compositionnelle régissant le mouvement, le lecteur est donc mis en situation de participer à une partie des imitations pratiquées par Leroux — en l'occurrence, celles qui vont du « modèle » instrumental vers le monde électronique. Le lecteur/auditeur se retrouve donc dans un espace compositionnel proche de celui que le compositeur s'est créé en sélectionnant certains outils et en explorant certaines idées, devenus constitutifs de l'identité sonore de ce mouvement. L'espace compositionnel ainsi reconstitué incarne à la fois l'une des principales idées directrices du compositeur, et l'analyse par les chercheurs des catégories propres à son activité de composition.

On peut dire de cette application qu'il s'agit à la fois d'un *outil de remixage contraint* (il s'agit de refaire autrement pour mieux entendre l'original, mais sans que l'on puisse procéder à n'importe quel remix à partir des sons du mouvement) et d'un *séquenceur non vide* (l'interface imite celle d'un séquenceur intégrant quelques traitements, mais ce séquenceur s'ouvre, plutôt que sur un espace vide à remplir, sur un matériau musical déjà largement composé qui appelle une appropriation créatrice). Lors de l'exploration du mouvement à partir de cette application, l'« écoute » des sons ne peut donc pas vraiment être distinguée de l'« action » sur eux — ce qui est d'ailleurs vrai de toute écoute, pour autant que, selon la formule de Francisco Varela, « la perception consiste en actions guidées par la perception[6] ». C'était aussi le cas chez Leroux : si le début de la composition du mouvement s'est déclenché lors de son travail sur le séquenceur, c'est parce qu'il a voulu écouter un ensemble de sons à partir d'un outil d'écoute qui se trouvait être aussi un outil de manipulation et de traitement des fichiers sons considérés ; quelques gestes routiniers de l'électro-acousticien qu'il est (par exemple enchaîner un son avec son inversion) l'ont bientôt entraîné sur la piste du « modèle du modèle » au point d'impliquer la structure de tout le mouvement. La proximité entre écoute et composition était au cœur du processus créateur de façon particulièrement manifeste ; non seulement cette proximité se retrouve dans notre dispositif d'aide à l'écoute du mouvement, mais elle se double d'une continuité technologique notable entre outil informatique de fabrication et outil de réception : le second constitue une version épurée du premier.

Mettre en scène des écarts créateurs

Dans l'introduction hypermédia au deuxième mouvement (« Les calligraphies mélodiques du mouvement II *Jusque…* »), l'auditeur est invité à suivre l'idée de « lettres » explorée par le compositeur pendant la préparation et l'écriture du mouvement. Lors d'une période de travail en studio préliminaire à la composition, Leroux avait fait réaliser par Frédéric Voisin, son assistant musical pour la réalisation informatique, un petit programme de calligraphie mélodique permettant, à partir d'un tracé effectué avec la souris (par exemple une ligne brisée, ou une lettre de l'alphabet) et d'un réservoir harmonique donné (en l'occurrence l'un des 26 accords utilisés dans *Voi(rex)*), d'obtenir la ligne mélodique correspondante. La composition du mouvement, loin de se restreindre

6. Varela, 1996, p. 29. Je remercie Jacques Theureau de m'avoir indiqué cette référence.

NICOLAS DONIN

à une mise en musique traditionnelle de la parole poétique, avait exploité « littéralement » ce *patch* OpenMusic : lettre du poème après lettre du poème, le compositeur avait produit des squelettes harmonico-mélodiques sous-tendant l'écriture instrumentale dans sa globalité. Si l'on aborde la partition sous cet angle, il est possible non seulement de s'y repérer au moyen de la succession des « lettres » (le mouvement égrène une soixantaine de lettres, de deux mesures chacune en moyenne), mais aussi de percevoir la cohérence de chaque geste instrumental global en lisant la calligraphie mélodique au fil de l'écoute (voir fig. 2).

En outre, le fait que la succession des « lettres » segmente la partition en courtes sections bien distinctes a rendu possible un souhait du compositeur : la possibilité pour le lecteur-auditeur de modifier l'ordre de succession des sections en recombinant en tout ou en partie des lettres en de nouveaux mots, absents du texte d'origine. (Cette possibilité a d'ores et déjà été exploitée par Leroux pour la composition d'un passage de sa nouvelle œuvre, *Apocalypsis*, en référence explicite à *Voi(rex)*.)

Lors des entretiens avec Leroux, l'importance pour lui de cette idée des « lettres » aurait pu masquer toutes les opérations de composition ayant permis

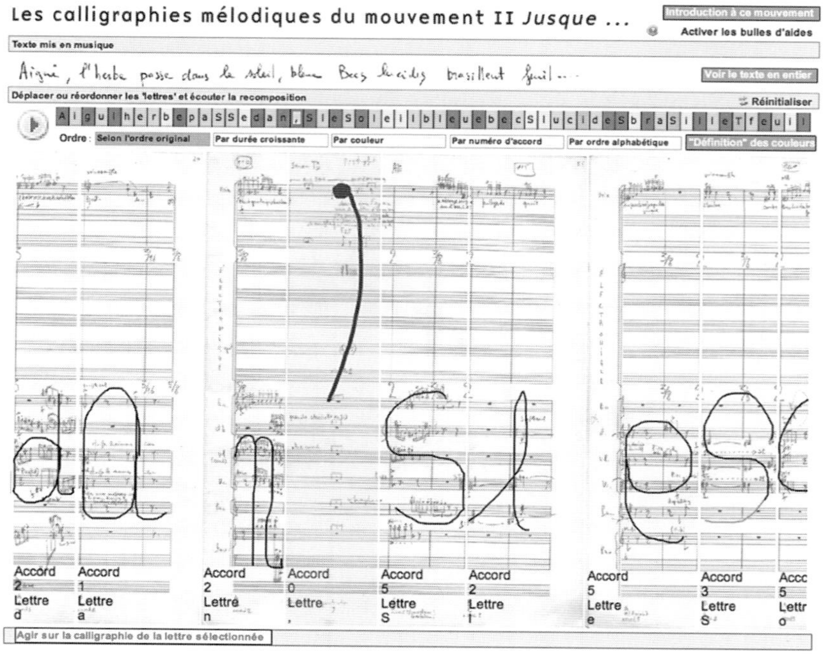

FIGURE 2. Photographie d'écran pendant l'écoute du 2e mouvement

de passer d'un simple squelette (une liste de hauteurs fournie par le *patch*) à de la musique composée. Les questions posées au compositeur sur sa façon d'instrumenter et sur ses écarts, volontaires ou involontaires, par rapport aux éléments produits par le patch, ont évité ce travers. Dans le dispositif hypermédia, cet écart est mis en scène par la comparaison, possible pour chacune des « lettres », entre un équivalent du patch informatique utilisé (grâce auquel le lecteur-auditeur peut lui-même réaliser une calligraphie mélodique, proche ou non de celle effectivement utilisée par Leroux) et du passage correspondant dans la partition manuscrite.

Une logique en partie similaire régit l'introduction au quatrième mouvement (« "Blocs gigognes" — Un guide d'écoute du mouvement IV *Devant tout autour* » — voir fig. 3). Ce mouvement, cousin du précédent (il a également été pensé par sections et fait aussi usage d'imitations mélodiques de graphismes), est pour Leroux la concrétisation d'une « idée formelle » : l'idée de « blocs gigognes » successifs, de densité croissante puis décroissante, reliés par de brefs « conduits » semblables les uns aux autres. En toute généralité, on peut déduire de cette idée un plan formel sans ambiguïté, comme l'a fait le compositeur lui-même lors de ses esquisses préliminaires. Mais le plan prévu n'a pas été suivi de façon systématique ; aussi la forme du mouvement achevé s'avère-t-elle difficile à décrire à partir de l'idée de « blocs gigognes », tant

FIGURE 3. Photographie d'écran pendant l'écoute du 4ᵉ mouvement

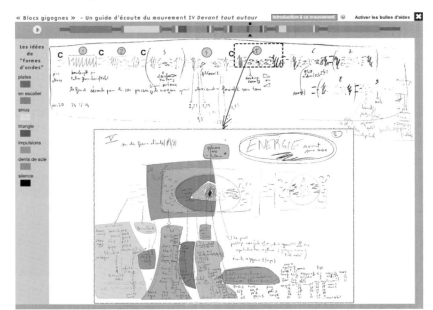

Leroux a modulé l'importance respective des différentes implications compositionnelles de cette idée au fur et à mesure de sa concrétisation dans l'écriture du mouvement. La divergence entre le plan suivi par le compositeur et la structuration du mouvement à laquelle son travail de composition a abouti est compréhensible sur la base d'une analyse serrée de son activité, étape après étape et page après page. Le dispositif hypermédia, quant à lui, propose de faire percevoir cette divergence créatrice en plaçant sous les yeux du lecteur-auditeur le plan prévu par Leroux tout en lui faisant entendre l'enregistrement du mouvement définitif. Tant la ligne temporelle du fichier son que celle du schéma formel manuscrit se lisent de gauche à droite; elles partagent en outre un code de couleurs (dont la légende figure le long du bord gauche de l'écran) correspondant aux différents types de matériaux musicaux utilisés (selon les catégories conçues par le compositeur). Au fur et à mesure de l'écoute, le plan se colorise (ou non) selon que le passage correspondant a été (ou non) réalisé de la façon prévue, et quelques écarts particulièrement significatifs sont mis en évidence, comme par exemple la suppression d'un bloc ou le non-respect des proportions internes à un bloc.

L'un de ces écarts pourrait symboliser particulièrement bien l'enjeu d'un dispositif de cette sorte en termes d'écoute musicale. Au début de notre travail collectif, le compositeur évoquait souvent le «silence central» du mouvement (correspondant à la section centrale du bloc central de la forme gigogne — c'est-à-dire son axe de symétrie). Ni Jacques Theureau ni moi ne l'avions remarqué lors de nos précédentes écoutes de l'œuvre, ce qui surprit Philippe Leroux. Ce constat entraîna une discussion entre lui et nous, d'une part, sur la durée qui aurait été nécessaire à un tel silence pour être perçu comme une unité musicale et non comme une simple respiration, et, d'autre part, sur la signification de l'adjectif «central» pour un passage qui se situe chronologiquement après le milieu du mouvement. Mais ces échanges, profitables à l'analyse du travail de composition, ne changèrent rien, dans un premier temps, au fait que nous ne pouvions ni anticiper ni reconnaître correctement ce passage en tant que «silence central» à l'écoute du mouvement. C'est finalement à travers l'injection de ce "différend" dans le processus de conception hypermédia que nous avons pu — en dépit de notre scepticisme — réellement entendre ce silence, et l'entendre en tant que point de basculement formel. L'animation progressive du plan original en relation avec le déroulement du fichier son du mouvement achevé crée en effet une attente chez le lecteur-auditeur, qui assiste à la genèse d'une forme musicale en accéléré : comment le compositeur s'y prendra-t-il pour réaliser la prochaine étape du plan ? Lorsque l'on en vient au bloc central, qui contient les six types de matériaux introduits un à un dans les blocs précédents, le recours à une esquisse très détaillée permet d'opérer un gros plan qui met en évidence le caractère crucial du silence central pour le compositeur (voir la moitié inférieure de l'écran dans la fig. 3). La vision configure ici l'écoute : quoi qu'il en soit des proportions exactes des sections de ce bloc et de ce bloc par rapport à l'ensemble du mouvement, quoi qu'il en soit de l'effectivité ou non des symétries de part et d'autre du silence central, l'attention du lecteur-auditeur est cadrée à l'échelle d'un bloc et focalisée sur ce noyau noir qui en constitue le point d'équilibre.

L'« écoute informée » (critique des guides d'écoute)

Dans les exemples qui précèdent, les « idées » essentielles du compositeur ont été prises comme fils conducteurs. Cela ne signifiait pas pour autant que le discours du compositeur sur son œuvre dût être repris en bloc et décalqué mécaniquement dans la conception des dispositifs hypermédias. Une fidélité aveugle aurait d'ailleurs mené à une impasse dans la conception, puisque ces « idées » avaient été soumises à un principe de réalité — celui de l'écriture de l'œuvre — qui les avait transformées localement (et parfois évincées au profit d'autres), de sorte qu'elles devaient être comprises comme des points de départ intéressants à connaître pour comprendre et apprécier l'œuvre, plutôt que comme des résultats analytiques, produits d'une rétrospection à laquelle le compositeur n'a pas nécessairement eu l'envie ou le besoin de procéder. Autrement dit, si les « idées » musicales de Leroux ont permis d'aborder chaque mouvement selon une approche partielle mais explicite, les dispositifs hypermédias réalisés se sont aussi appuyés sur notre analyse critique de ces idées telles qu'elles ont effectivement été mises en œuvre par le compositeur : ils constituent une sorte de *resynthèse* de sa démarche.

À ce titre, ils transmettent bel et bien une façon d'écouter les différents mouvements considérés, en relation étroite avec l'écoute intérieure que Leroux, de l'émergence des idées à l'achèvement de l'œuvre, en a eu ; mais cette façon d'écouter a été questionnée, explicitée, mise en forme de manière dialogique et collective[7]. Aussi, de « partiellement indéterminée » (cf. *supra*) qu'elle était au début de notre travail, s'est précisée la nature de l'écoute proposée par ces dispositifs : elle consiste à explorer la logique compositionnelle de l'œuvre à partir d'espaces de navigation ou de variation pertinents. Le fait que ces espaces, resynthèses plus ou moins fines du travail compositionnel, distinguent et articulent les points de vue du compositeur et des chercheurs doit permettre à l'auditeur de prendre cette « écoute du compositeur » pour ce qu'elle est : un point de vue privilégié, parmi d'autres points de vue potentiellement non moins intéressants. C'est pourquoi nous utilisons l'expression d'« écoute informée » :

7. Cette dimension de questionnement collectif ne va pas de soi : ainsi, elle a manqué — certes par manque de temps essentiellement —, dans un autre dispositif hypermédia que nous avons conçu en 2004-2005 en collaboration avec Georges Aperghis et Peter Szendy, autour de leur opéra *Avis de tempête* (DVD-Rom joint à *L'inouï, revue de l'Ircam*, n° 1, 2005). Le dispositif réalisé satisfaisait le compositeur et le librettiste en ce qu'il reflétait bien, par la mise en œuvre d'un mécanisme de renvois aléatoires entre de nombreux documents relativement hétérogènes, la thématique de leur opéra — à savoir précisément l'impossibilité d'appréhender la cohérence d'une « tempête sous un crâne » et, de là, une explosion des horizons d'attente. Mais cette thématique n'ayant pu faire l'objet d'une « resynthèse » suffisamment fine (... pourtant d'autant plus nécessaire qu'elle consistait bien à mettre en crise la vocation des dispositifs d'accompagnement de l'écoute en général !), sa concrétisation dans le DVD-Rom s'avéra en fin de compte faiblement perçue comme telle par les utilisateurs, et rarement comprise comme un mode de navigation pertinent dans les fragments de l'œuvre proposés à la consultation.

l'information sur l'œuvre adopte un point de vue et le donne à expérimenter aussi librement que possible au sein de l'espace ainsi défini au terme d'un travail de conception collective, liée à une recherche également collective.

La notion d'écoute informée s'inspire en fait d'une recherche menée en collaboration avec Rémy Campos sur les guides d'écoute de la fin du XIXe siècle (voir Campos et Donin, 2005). Ces guides, fortement liés à la réception des opéras de Wagner en Europe, sont les modèles méconnus de la plupart des guides d'écoute conçus pour la musique dite classique jusqu'à nos jours. Ils constituent également une racine importante de l'analyse musicale. Nous les avons notamment caractérisés comme une « information sur l'œuvre constituant aussi une formation de l'oreille » (*ibid.*, p. 152). Le terme *information* doit donc être pris au sens fort : les guides d'écoute *donnent forme* à l'écoute attentive qu'ils prescrivent ; ils sont porteurs de forme. Or, si les premiers guides d'écoute visaient souvent à soutenir très en détail l'audition des œuvres ou leur déchiffrage en partitions réduites, on ne peut que constater le déclin de leur fonction d'instrument d'écoute au long du siècle dernier, notamment à travers la perpétuation, au dos des microsillons puis dans les pochettes de CD, de textes se référant à la partition plutôt qu'indexés sur le média discographique. Comme le relève Leon Botstein :

> Fewer musical examples or descriptions of sound are now included. There is more text devoted to history and biography and, ironically, a visible desire to appear learned and academic, which suggests that the program note is no longer designed to aid listening. (Botstein, 1994, p. 182)

« Aider » l'écoute aujourd'hui suppose de réactiver cette *fonction informative* du guide d'écoute et de l'actualiser en relation avec les formats contemporains de la musique, sans pour autant reconduire le caractère étroitement prescriptif de ces textes qui assénaient bien souvent à leur lecteur comment ils devaient écouter telle ou telle œuvre — omettant de reconnaître qu'il existait d'autres manières légitimes de les entendre, même si ce n'étaient pas celles de l'auteur du guide. Cette actualisation de la fonction informative des guides d'écoute suppose au préalable de reconnaître que la culture musicale contemporaine est innervée par un tout autre milieu technique et esthétique que celle qui a vu naître ce type de discours sur la musique. Par exemple, comme le souligne encore Botstein en commentant une fameuse émission de vulgarisation musicale de la NBC, la Music Appreciation Hour :

> What kind of music education or even « appreciation » efforts would be desirable today in principle and might even work? How would one try to develop the admittedly noble habits of listening that Adorno outlines? The reality seems to be that pure listening itself — without visual or linguistic elements — is at risk. The plain

fact may be that the relationship of sound to the imagination put forward by Adorno and plausible in a pretelevision world no longer can be presented as normative. The contemporary everyday acoustic and technological environment must be taken into account, not as a concession to a corrupt empirical reality at a distance from an ideal aethetic essence, but as a fact of daily social existence that transcend class, race, and most forms of social and economics organization. (Botstein, 1994, p. 181)

Plus spécifiquement, les technologies web permettent au concepteur et au lecteur d'un guide d'écoute de se mouvoir dans un milieu technique incluant le son et l'image animée, par opposition au seul monde du papier (papier à musique y compris) dans lequel vivait un auteur de guide par le passé, impliquant le découpage et la récriture d'exemples musicaux compréhensibles seulement par ceux qui pouvaient lire la musique. Depuis bien longtemps, notre accès à la musique se fait principalement par l'enregistrement sonore : si l'on prend l'exemple du CD de musique classique — dont le formatage reste inaltérable malgré la désaffection massive des consommateurs —, pourquoi avoir continué jusqu'à aujourd'hui, à de rares exceptions près, à dissocier radicalement un disque qui n'affiche aucun texte et un livret d'accompagnement qui s'évertue à décrire la musique sans pouvoir en citer d'exemples sonores ? Plus généralement, il est désormais possible et nécessaire de travailler sur la complémentarité entre les différents médias qui vont avec la musique : son, représentation du son, texte, image (graphique ou partition), vidéo, etc. C'est d'ailleurs pour souligner le caractère intégré de la combinaison de ces différents médias que nous adoptons le terme « hypermédia » plutôt que celui de « multimédia » (qui insiste sur la pluralité sans pointer vers la logique transversale de matériaux numériques originairement coordonnés). Cette complémentarité fait écho à celle mise en jeu quotidiennement par l'écoute musicale elle-même qui, loin de se réduire à l'audition, articule ce sens à d'autres sens pour pouvoir percevoir pleinement la musique[8].

Si on les aborde sous l'angle d'une actualisation et d'un dépassement radical de la notion de guide d'écoute des XIXe et XXe siècles à la lumière de la situation contemporaine — en bref, d'une critique —, les réalisations précédemment présentées, que nous avons jusqu'ici désignées de façon multiple (« documents », « dispositifs », « applications », etc.), pourraient être qualifiées tout simplement de *guides d'écoute contemporains*.

*
* *

Dans l'éventail des usages de l'informatique par les amateurs de musique, François Delalande distingue deux pôles : l'« entendre en faisant » (analyse

8. En conséquence de quoi les expressions d'« écoute active » et d'« écoute instrumentée » nous paraissent quasi tautologiques, contrairement à « écoute informée » et « écoute augmentée », plus spécifiques. Nous ne retenons cependant pas ici « écoute augmentée » dans la mesure où l'information de l'écoute (telle qu'elle est définie plus haut) ne consiste pas tant à « ajouter » quelque chose à l'écoute qu'à la configurer autrement.

9. « L'opposition canonique entre production et réception s'efface, mais on la retrouve sous une autre forme. Ces pratiques d'appropriation se diversifient elles-mêmes en deux pôles : faire et entendre, ou, pour être plus précis, faire en entendant et entendre en faisant. Le premier pôle est celui de la création en amateur ; de ces centaines de musiciens qui "samplent" sur Internet, captent et mélangent tous les sons de la planète pour créer leur propre synthèse. Leur instrument est l'oreille, munie de quelques accessoires. Le second pôle est celui de l'analyse, qui vise à pénétrer, à entendre — au sens de l'entendement — et dispose pour cela de tout récents logiciels, CD-Rom ou sites permettant de naviguer dans la musique, informé par des commentaires, des transcriptions multiples, des possibilités d'agir pour explorer activement » (Delalande, 2003, p. 10).

hypermédia) et le « faire en entendant » (composition sur ordinateur)[9]. Les exemples que nous avons donnés se situent du coté de l'« entendre en faisant ». Cependant, si l'on pense au premier exemple considéré ici (le séquenceur contraint selon l'espace de variation du compositeur), la prolifération de réalisations situées à mi-distance entre ces pôles semble possible et utile. La distinction entre eux pourrait même s'effacer si, d'une part, les musiciens et leurs intermédiaires industriels fournissaient davantage de données sur les œuvres à travers leur diffusion (ne serait-ce, par exemple, que la possibilité de piloter les voies de mixage des enregistrements multipistes) et si, d'autre part, les outils d'exploration auditive de ces œuvres se développaient en continuité technique avec les outils de création — comme le proposent certains prototypes de l'Ircam tels que les logiciels Musique Lab 2 (voir Puig *et al.*, 2005) ou la chaîne hi-fi sémantique (voir l'article de Hugues Vinet ici même).

Ces différentes évolutions techniques et sociales pourraient faire de l'écoute à domicile le milieu naturel d'une nouvelle forme d'expérience individuelle des œuvres. Cette dernière serait éminemment complémentaire du moment privilégié de la participation auditive à la musique et de l'exercice collectif du jugement de goût qu'est le concert. Remplacerait-elle au passage l'écoute acousmatique, passive et censément attentive à laquelle nos chaînes hi-fi nous ont habitués ? Ou ferait-elle apparaître cette dernière comme une pratique d'écoute légitime, intimement associée au XXe siècle comme l'écoute de concert public est associée pour nous aux XVIIIe et XIXe siècles ? Espérons avoir, un jour ou l'autre, à nous poser sérieusement la question.

BIBLIOGRAPHIE

BOTSTEIN, Leon (1994), « Music, Technology, and the Public », *The Musical Quarterly*, vol. 78, n° 2, p. 177-188.

CAMPOS, Rémy et Nicolas DONIN (2005), « La musicographie à l'œuvre : écriture du guide d'écoute et autorité de l'analyste à la fin du XIXe siècle », *Acta musicologica*, vol. 77, n° 2, p. 151-204.

DELALANDE, François (2003), « D'une technologie à l'autre », *Les dossiers de l'ingénierie éducative*, p. 6-10, <http://www.cndp.fr/archivage/valid/41724/41724-6138-5947.pdf>.

DONIN, Nicolas (2004), « Comment manipuler nos oreilles », *Cahiers de médiologie*, n° 18, p. 219-228.

DONIN, Nicolas (2005), « Première audition, écoutes répétées », *L'inouï, revue de l'Ircam*, n° 1, p. 31-47.

DONIN, Nicolas, Samuel GOLDSZMIDT et Jacques THEUREAU (2006), *De Voi(rex) à Apocalypsis, fragments d'une genèse. Exploration multimédia du travail de composition de Philippe Leroux*, DVD-Rom joint à *L'inouï, revue de l'Ircam*, n° 2.

PUIG, Vincent *et al.* (2005), « Musique Lab 2 : A three level approach for music education at school », Conference Proceedings [of the] International Computer Music Conference (ICMC), 4-10 septembre 2005.

VARELA, Francisco J. (1996), *Quel savoir pour l'éthique ? Action, sagesse et cognition*, Paris, La Découverte.

Le projet SemanticHIFI : manipulation par le contenu d'enregistrements musicaux

Hugues Vinet

1. <http://shf.ircam.fr>.

Le projet européen SemanticHIFI[1] vise la préfiguration des chaînes hi-fi de demain, proposant aux mélomanes des fonctions inédites de *gestion* et de *manipulation* des enregistrements musicaux *par le contenu*. Les limites des équipements existants sont liées à celles des formats de diffusion de la musique qui, se présentant depuis plusieurs décennies sous la forme de signaux d'enregistrements stéréophoniques, n'autorisent que des modes de manipulation élémentaires. L'extension des supports d'informations musicales à des représentations plus riches rend possible la réalisation de fonctions innovantes : classification personnalisée, navigation par le contenu, spatialisation sonore, composition, partage sur les réseaux préservant les droits liés aux œuvres, etc. Ces fonctions sont le résultat d'activités de recherche menées dans le cadre du projet et se situant à la pointe de plusieurs disciplines : analyse et traitement des signaux audionumériques, ingénierie des connaissances musicales, interfaces homme-machine, architectures de réseaux distribuées. Le projet prévoit également une phase d'intégration, visant la réalisation de prototypes d'applications, permettant de valider l'ensemble de ces fonctions dans un environnement technique unifié et compatible avec les contraintes du marché de l'électronique grand public.

L'objet de cet article est de proposer une vue d'ensemble du projet. La première partie en introduit le contexte et les principaux objectifs. La deuxième partie est consacrée à la problématique de description et d'extraction automatisée des contenus musicaux, qui traverse l'ensemble des réalisations du projet. Les troisième, quatrième et cinquième parties présentent les principales fonctions développées : navigation inter- et intra-documents, jeu, composition et partage sur les réseaux. La dernière partie en précise les modalités d'intégration technique sous la forme d'applications prototypes.

Cadre et principaux objectifs du projet

Le développement, au cours des dernières décennies, des technologies musicales, en particulier dans le domaine du traitement du signal audionumérique, n'a eu que des répercussions limitées sur les produits destinés au grand public. Celles-ci se sont essentiellement traduites par une plus grande facilité d'accès aux enregistrements sonores, grâce à des modes de compression et de stockage de plus en plus performants, ainsi que par la généralisation des systèmes de *home cinema* tirant parti des formats audio multicanaux liés aux DVD (DTS 5.1). Ce dernier aspect représente une véritable rupture technologique, provoquée par l'industrie de la vidéo, dans le domaine de la production sonore, dont le format cible en était resté à la stéréophonie depuis un demi-siècle. Dans le strict champ de la musique enregistrée, même si de nouveaux modèles économiques de distribution électronique commencent à voir le jour, ceux-ci apportent encore peu d'innovation en matière de manipulation musicale. Les raisons en sont liées à l'absence d'évolution des représentations sur lesquelles reposent les différents supports des informations musicales, qui sont limitées pour le moment aux signaux des enregistrements sous forme stéréophonique, n'autorisant que des fonctions de manipulation élémentaires (marche, arrêt, morceau suivant, réglage du volume, etc.). Ces formats se situent aujourd'hui en deçà de l'état de l'art des technologies musicales, qui décrivent les différents aspects des phénomènes musicaux à travers plusieurs types de représentations numériques, organisés, par ordre d'abstraction croissant, selon les niveaux *physique*, *signal*, *symbolique* et *cognitif* (Aucouturier et Pachet, 2004).

L'objectif du projet SemanticHIFI est de dépasser ces limitations à travers l'élaboration d'une nouvelle génération de chaînes hi-fi, répondant aux orientations suivantes :

- application de recherches en analyse et traitement du signal audio à la réalisation de fonctions de manipulation interactive des matériaux musicaux, visant à promouvoir des modes d'*écoute active* à destination de mélomanes non spécialistes ;

- gestion de représentations plus riches des contenus musicaux pouvant être obtenus selon deux modes complémentaires, comme résultats, d'une part, d'un processus de production renouvelé, d'autre part, d'outils d'indexation personnalisés opérant à partir d'enregistrements;

- dépassement des approches usuelles en *recherche d'informations musicales*, reposant sur des services en ligne accessibles par ordinateur, en se concentrant sur des dispositifs d'accès terminaux, d'utilisation simple. Cette démarche s'inscrit dans la continuité du projet européen CUIDADO (Vinet, Herrera et Pachet, 2005);

- intégration des fonctions développées sous la forme de prototypes d'applications, comme résultat d'un compromis entre les innovations suscitées par l'avancée des recherches et de choix fonctionnels et techniques liés aux enjeux économiques du domaine de l'électronique grand public.

Le projet, réalisé dans le cadre du programme IST (Information Society Technologies) de la Commission européenne entre 2004 et 2006, associe environ 30 chercheurs et ingénieurs de 5 laboratoires de recherche[2] et de 2 sociétés[3] parmi les plus de pointe dans leurs domaines respectifs.

Description et extraction des contenus musicaux

Le nom du projet doit davantage être considéré comme un acronyme promotionnel que d'un point de vue littéral, car la notion de sémantique s'applique difficilement au champ musical, même si celles de syntaxe et de vocabulaire permettent des rapprochements avec celui du langage. Dans la mesure où les éléments structurels du contenu musical sont figurés dans la partition, il pourrait paraître logique, dans le contexte des applications visées, de recourir à cette représentation comme support d'interaction musicale. Cette approche s'avère toutefois inappropriée car la notation est un outil d'écriture et de prescription, qui ne reflète généralement pas explicitement les structures formelles pertinentes du point de vue de la réception des œuvres et nécessite par ailleurs, pour pouvoir être appréhendée, plusieurs années de formation. De plus, la partition ne rend pas compte de certains aspects spécifiquement liés au son, dont la prégnance est particulièrement forte dans différents genres musicaux. Il est donc nécessaire d'élaborer des *descriptions* spécifiques des contenus musicaux, dont les exemples ci-après rendent compte des différentes approches existantes :

- *informations éditoriales* (titre, noms des musiciens, instrumentation, etc.);
- *catégories musicales* (dont genres), suivant éventuellement une organisation hiérarchique (taxinomies);
- *descripteurs numériques globaux*, automatiquement extraits à partir des signaux et décrivant statistiquement diverses propriétés d'un morceau :

2. Ircam (Coordinateur, France), Sony Computer Science Laboratory (Sony-CSL, France), Fraunhofer IDMT (FhG, Allemagne), University Pompeu Fabra (UPF, Espagne), Ben Gurion University (BGU, Israël).

3. Native Instruments (Allemagne) et Sony European Technology Center (Allemagne).

couleur orchestrale, tonalité, tempo, structures rythmiques, intensité subjective (Aucuturier et Pachet, 2004 et Peeters, 2004) ;

- *empreintes digitales*, données numériques compactes permettant d'identifier de manière univoque un morceau ;

- *informations structurelles* sur le contenu intrinsèque des morceaux (forme temporelle, voies de polyphonie, profil mélodique, etc.) ;

- texte des *paroles* des chansons ;

- analyses musicologiques sous forme d'*applications multimédias*, pouvant être exécutées sur la chaîne hi-fi.

Cette problématique de description des contenus musicaux représente l'un des principaux verrous scientifiques du projet se situant à la convergence de deux orientations de recherche complémentaires, d'une part, l'élicitation et l'ingénierie de connaissances musicales adaptées aux fonctions visées (processus *top-down*), d'autre part, l'état de l'art en matière d'analyse de signaux pour l'extraction automatisée d'informations pertinentes, dites de « bas niveau », à partir des données disponibles (processus *bottom-up*) et leur mise en correspondance à travers l'utilisation de techniques d'apprentissage automatique.

Navigation inter-documents

La gestion des morceaux, dont le nombre peut être de plusieurs dizaines de milliers, est assurée dans le système hi-fi par l'application *Music Browser* de Sony (Pachet, Aucouturier, La Burthe et Beurive, 2004). Elle comprend, d'une part, des fonctions de classement personnalisé, d'autre part, de navigation inter-documents. Lors de l'insertion de nouveaux morceaux, les informations éditoriales correspondantes peuvent être téléchargées auprès de différents fournisseurs de métadonnées musicales en ligne. L'utilisateur a également la possibilité de définir ses propres classifications, caractérisées par la répartition des morceaux en plusieurs catégories dotées de noms arbitraires et par des exemples prototypiques de morceaux. Le système est doté d'une fonction de généralisation, qui apprend les caractéristiques acoustiques liées aux prototypes de chaque classe et peut ainsi classer l'ensemble des morceaux présents selon ces catégories personnalisées (Zils et Pachet, 2004).

Les descripteurs numériques globaux introduits plus haut sont automatiquement calculés par analyse des enregistrements et interviennent dans plusieurs fonctions de navigation. Ils permettent notamment de spécifier une recherche de morceaux selon les valeurs prises par la quantification de leurs caractéristiques musicales, de manière transversale et complémentaire à toute classification. Une autre heuristique intéressante est celle de *recherche par simi-larité*, dans laquelle l'utilisateur recherche les morceaux se rapprochant le plus d'un exemple choisi en fonction d'une mesure de similarité combinant ces différents descripteurs de manière configurable, selon différentes pondérations.

Le système est également doté d'une fonction de *recherche par chantonne-ment*, trouvant les morceaux dont le profil mélodique, lorsqu'il existe, se rap-proche le plus de celui chanté par l'utilisateur et capté par un microphone intégré dans la télécommande de la chaîne (Heinz et Brückmann, 2003).

Navigation intra-documents et rendu spatial

Le dépassement des fonctions traditionnelles de lecture est conçu, à travers la représentation des structures internes des morceaux, sous la forme d'interfaces de navigation intra-documents, qui perfectionnent la chaîne hi-fi dans sa fonc-tion d'*instrument d'écoute*. Les approches adoptées se fondent sur les deux dimensions musicales de temporalité et de superposition polyphonique et spa-tiale, ainsi que, de manière plus élaborée et complète mais non automatisée, sur des analyses multimédias des œuvres.

Navigation à travers la structure temporelle

Des travaux de recherche récents permettent la modélisation automatique d'un morceau, par analyse de signal, comme succession d'états stables du point de vue du contenu spectral, qui rendent compte de parties distinctes en matière d'instrumentation et de registre telles que l'introduction, le refrain, les cou-plets et les solos (Peeters, 2004). La représentation graphique de cette décom-position en plusieurs segments temporels appariés permet d'appréhender la structure globale de morceaux et suscite une navigation interactive associant visualisation et écoute des extraits sélectionnés. Cette analyse est également mise à profit pour le calcul automatisé de *résumés sonores*, extraits sonores de durée brève (20 à 30 secondes), obtenus par concaténation d'une instance de chaque partie et fournissant l'essentiel des changements intervenant dans le morceau en s'affranchissant des répétitions.

Une autre fonction de navigation temporelle proposée, déjà relativement banalisée en production sonore professionnelle, mais non moins spectaculaire, est celle d'étirement-contraction (*time stretching*) : il est possible de lire à vitesse lente ou rapide un morceau sans altération corrélative des hauteurs, permettant, selon les cas, une écoute approfondie, ou un balayage rapide de son contenu.

Enfin, dans le cas des chansons, il existe différents modes de synchronisation des paroles chantées avec les signaux des enregistrements, permettant d'afficher automatiquement, comme à l'opéra, leur texte pendant l'écoute.

Navigation polyphonique et spatialisation sonore

Même si les instruments ou groupes d'instruments sont souvent enregistrés séparément sous forme multipiste, cette information est perdue à l'étape du mixage dans le format stéréophonique. Dans la mesure où les supports de distribution de la musique sont amenés à évoluer, à la fois par les formats DVD et SACD actuels autorisant 6 à 8 canaux, mais également à plus long terme à travers la diffusion des morceaux par les réseaux, sous des formes numériques s'affranchissant des contraintes des supports physiques, l'une des directions d'investigation abordées par le projet concerne l'élaboration de fonctions de navigation à l'intérieur de la polyphonie, conférant à l'utilisateur la possibilité d'effectuer son propre mixage à partir d'interfaces interactives. Celles-ci sont réalisées en application directe de travaux de recherche menés sur la spatialisation des sons. Le système Spat de l'Ircam, utilisé en production musicale et sonore, assure la simulation et le rendu de l'effet produit par des sources sonores, placées à des positions données dans une salle virtuelle dont les caractéristiques sonores peuvent être configurées à partir de paramètres pertinents d'un point de vue perceptif (Jot, 1997). Ainsi, l'interface développée, suivant la métaphore de l'orchestre, se présente sous la forme d'un espace bidimensionnel, dans lequel apparaissent les positions des différents instruments ou voies de polyphonie et de l'auditeur. Celui-ci a la possibilité de déplacer les instruments, de choisir leur position dans l'orchestre, de s'approcher d'un instrument donné pour ne plus entendre que lui, etc. Le système effectue en temps réel le rendu spatial de cette scène sonore selon différents types de dispositifs de restitution, notamment le mode binaural (par casque), autorisant le rendu le plus précis de l'espace sonore tridimensionnel.

Dans le cas où les signaux des différentes voies de polyphonie ne sont pas disponibles, le système comprend une fonction effectuant, sous certaines conditions, la séparation automatique d'une voie solo et de son accompagnement, et permettant de les spatialiser avec ce dispositif, en modifiant notamment leurs niveaux relatifs (Ben-Shalom et Dubnov, 2004).

Interfaces multimédias interactives

Le système hi-fi comprend un lecteur de documents multimédias, combinant interfaces graphiques et lecture d'extraits sonores synchronisés. Ce dispositif permet l'exécution d'analyses d'œuvres produites à ce format, notamment selon l'approche développée par le projet « Écoutes signées » (Donin, 2004), en dépassant les limites des algorithmes d'analyse automatique. La possibilité de diffusion de telles applications sur des bases techniques standardisées offre également aux compositeurs un support à l'élaboration de nouvelles formes musicales, conçues pour être appréhendées selon un mode d'interaction qui s'affranchit des limites traditionnelles de la linéarité temporelle ou d'une polyphonie fixée.

Autres fonctions : jeu, composition, partage

Les modes d'écoute active décrits aux paragraphes précédents sont complétés par des fonctions assistant le mélomane dans la production personnalisée de séquences musicales, à partir de matériaux existants. Ainsi sont proposés différents instruments virtuels (trompette, basse, percussions), synthétisés en temps réel et pilotés par la voix, selon un contrôle intuitif reposant sur différentes métaphores d'interaction (Jorda, 2005). Des fonctions de composition, destinées à des utilisateurs plus avancés et reposant sur le logiciel Traktor de Native Instruments, permettent l'agencement (montage, mixage, interpolation) de morceaux existants, en prenant en charge automatiquement certains aspects de la production musicale comme la synchronisation en tempo des différents morceaux, la gestion des transitions ou le calcul automatisé de listes de lecture. La chaîne hi-fi est également dotée d'une fonction originale de partage *peer-to-peer*, favorisant les échanges entre internautes tout en garantissant le respect des droits afférents aux œuvres manipulées : seules les données produites par les utilisateurs peuvent être partagées. Ces métadonnées partageables comprennent non seulement les informations de description des morceaux, mais également des opérations de jeu ou de composition effectuées à partir de ceux-ci, qui ne peuvent être reproduites par d'autres internautes que dans la mesure où ils disposent eux-mêmes de ces morceaux dans leur propre système.

Intégration technique

L'ensemble des fonctions décrites plus haut est issu de travaux de recherche et développement menés par les différentes équipes participantes et fait l'objet de modes de validation individuels. Le projet prévoit, dans une seconde étape, son intégration technique dans deux applications prototypes : la chaîne hi-fi proprement dite, réalisée par Sony EuTEC et une application d'outil auteur développée par Native Instruments. Le prototype de chaîne hi-fi, destiné à des utilisateurs novices, se présente sous la forme d'un appareil indépendant, doté d'un écran tactile, d'un lecteur/enregistreur CD et DVD, d'un disque dur de grande capacité, d'une connexion à Internet et d'une télécommande dotée de fonctions graphiques assurée par un assistant personnel. L'application d'outil auteur est développée sous la forme de logiciel pour ordinateur, communiquant avec la chaîne et intégrant des fonctions avancées d'indexation et de production des matériaux musicaux. L'objectif de ces réalisations est de démontrer la faisabilité et d'évaluer le caractère utilisable de ces différentes fonctions dans le cadre d'environnements unifiés, à la fois du point de vue de l'architecture technique et des interfaces homme-machine. La commercialisation de tout ou partie de ces fonctions n'est envisagée que dans une étape ultérieure, sous des formes qui seront déterminées en fonction des opportunités commerciales.

Conclusion

Cette vue d'ensemble du projet SemanticHIFI a présenté le concept original de système hi-fi dont il vise la réalisation et dont les fonctions se situent bien au-delà de celles des chaînes traditionnelles, mais aussi d'applications plus récentes de gestion de morceaux de musique. Les avancées technologiques issues des activités de recherche du projet se fondent sur l'extraction automatisée et la combinaison de représentations numériques étendues des informations musicales, autorisant des modes de manipulation inédits des enregistrements : classification personnalisée, navigation inter- et intra-documents, spatialisation sonore, jeu instrumental, composition, partage par les réseaux respectant les droits afférents aux œuvres. Ces fonctions suscitent des modes d'interaction plus riches avec les contenus musicaux, destinés à des utilisateurs néophytes, qui bouleversent les limites des fonctions techniques musicales traditionnelles (instruments de musique, outils de composition et de production, dispositifs d'écoute). Cette préfiguration vise également à démontrer l'opportunité d'une extension des formats de distribution musicale, dont la faisabilité technique est d'ores et déjà avérée à travers les réseaux numériques, à des données fournissant une description plus détaillée des contenus musicaux, voire à de nouvelles formes interactives.

BIBLIOGRAPHIE

AUCOUTURIER, Jean-Julien et François PACHET (2004), « Improving Timbre Similarity : How high is the sky ? », *Journal of Negative Results in Speech and Audio Sciences*, vol. 1, n° 1, <http://www.csl.sony.fr/downloads/papers/uploads/aucouturier-04b.pdf>.

BEN-SHALOM, Adiel et Shlomo DUBNOV (2004), « Optimal Filtering of an Instrument Sound in a Mixed Recording Given Approximate Pitch Prior », Proceedings of the 2004 *International Computer Music Conference* (Miami, Floride, novembre 2004), <http://music.ucsd.edu/~sdubnov/Papers/ICMC04a.pdf>.

BONADA, Jordi (2004), « High Quality Voice Transformation Based on Modeling Radiated Voice Pulses in Frequency Domain », Proceedings of the 7th International Conference on Digital Audio Effects (Naples, Italie), <http://www.iua.upf.es/mtg/publications/DAFX04-jbonada.pdf>.

DONIN, Nicolas (2004), « Towards organised listening : some aspects of the "Signed Listening" project, Ircam », *Organised Sound*, vol. 9, n° 1, p. 99-108.

HEINZ, Thorsten et Andreas BRÜCKMANN (2003), « Using a Physiological Ear Model for Automatic Melody Transcription and Sound Source Recognition », Proceedings of the 114th Convention of the Audio Engineering Society (Amsterdam, February 2003), <http://www.aes.org/e-lib/browse.cfm?elib=12482>.

JORDA, Sergi (2005), « Instruments and Players : Some thoughts on digital lutherie », *Journal of New Music Research*, vol. 33, n° 3, p. 321-341.

JOT, Jean-Marc (1997), « Efficient Models for Distance and Reverberation Rendering in Computer Music and Virtual Audio Reality », Proceedings of the 1997 International Computer Music Conference (Thessaloniki, Grèce), p. 236-243.

PACHET, François, Jean-Julien AUCOUTURIER, Amaury LA BURTHE et Anthony BEURIVE (2004), « The Cuidado Music Browser : an end-to-end Electronic Music Distribution System », *Multimedia Tools and Applications*, Special Issue on the CBMI03 Conference, <http://www.csl.sony.fr/downloads/papers/uploads/pachet-04e.pdf>.

PEETERS, Geoffroy (2004), « Deriving Musical Structures from Signal Analysis for Music Audio Summary Generation : "sequence" and "state" approach », *Lecture Notes in Computer Science*, Heidelberg, Springer Verlag, vol. 2771, p. 143-166.

PEETERS, Geoffroy (2005), « Time Variable Tempo Detection and Beat Marking », Proceedings of the International Computer Music Conference, <http://recherche.ircam.fr/equipes/analyse-synthese/peeters/ARTICLES/Peeters_2005_ICMC_Tempo.pdf>.

VINET, Hugues, HERRERA, Perfecto et François PACHET (2002), « The CUIDADO Project », *Proceedings of the International Conference on Music Information Retrieval (ISMIR) (Paris, 2002)*, <http://ismir2002.ismir.net/proceedings/02-FP06-3.pdf>.

VINET, Hugues (2004), « The Representation Levels of Music Information », *Lecture Notes in Computer Science*, Heidelberg, Springer Verlag, vol. 2771, p. 193-209.

ZILS, Aymeric et François PACHET (2004), « Automatic Extraction of Music Descriptors from Acoustic Signals Using EDS », Proceedings of the 116th Convention of the Audio Engineering Society (Berlin, May 2004), <http://www.csl.sony.fr/downloads/papers/uploads/zils-04a.pdf>.

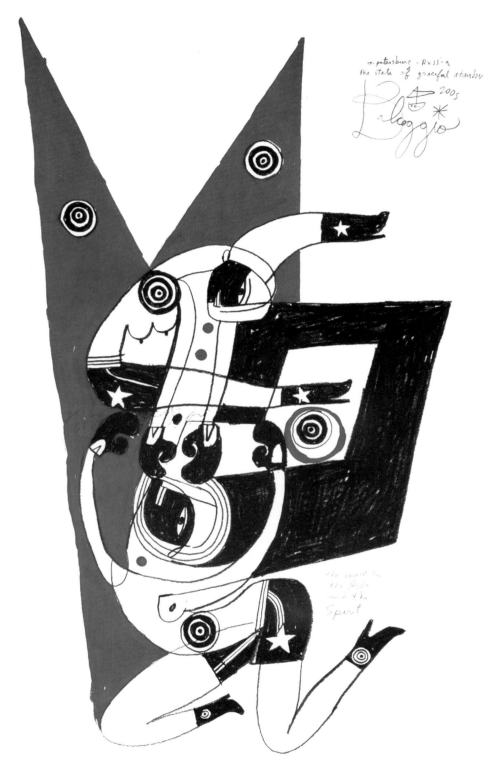

The union of the body and the spirit (2006, encre sur papier, 15" X 23")

Spatialization as a Compositional Tool and Individual Access to Music in the Future[1]

Jonathan Harvey in Conversation with Nicolas Donin

Stockhausen's Legacy

Nicolas Donin: The problematization of space in a musical composition, i.e., turning the spatial properties of sound into a musical parameter in and of itself, was spectacularly attempted by Stockhausen, notably in *Gruppen* for three orchestras in 1955-1957, which is a work which you analyzed in depth.[2] How does your own work on space tie in with this tradition?

Jonathan Harvey: What is fundamental to my thinking is that there be a dialogue in space, and that is something which one can, as a composer, make clear and interesting, or else ignore. More interesting is the question of *moving* spatialization, which is equally present in life. We ourselves move all the time, and we hear sounds from a moving perspective. Most of the time, in fact, we hear sounds that move. Moving sounds are nothing new, they are very normal in life. In the concert hall, however, it is not normal at all. For centuries, we have had static sound, static spatialization. Now, we are changing all that in music. And the developments at IRCAM and other studios with very fast and sophisticated computers made it possible.

The movement has of course been present since Stockhausen; particularly in his work from the 1950s — *Kontakte* [1958-1960] for example. In that piece, Stockhausen used six types of spatialization: sound moves straight across the concert hall; sound rotates at a fast or slow speed; there are discrete points at

1. A shorter version of this interview was published in French translation in the *Cahiers de Médiologie*, n° 18, 2004, *Révolutions industrielles de la musique*, Nicolas Donin and Bernard Stiegler (eds.), p. 211-216. The interview took place at IRCAM on February 24, 2004. I wish to express my gratitude to Jonathan Goldman for having edited the transcript.

2. In Chapter 7 of Jonathan Harvey, *The Music of Stockhausen*, London, Faber and Faber, 1975.

3. Harvey discusses *Kontakte* in the abovementioned study of Stockhausen, p. 88-90.

4. Paris, Librairie José Corti, 1943.

5. *Air and Dreams: an Essay on the Imagination of Movement*, Dallas, Dallas Institute Publications, 1988.

6. "Spat": a computer tool developed at IRCAM for real-time spatial processing of sound.

different places in the concert hall, etc. Six important musical ideas, each one like a musical theme.[3] This is a way of structuring spatial movement, and Stockhausen had, in addition, a loudspeaker on the table around which he placed four microphones at four points of a square. He would turn the table electrically very fast or very slowly and record the rotating sound into the microphones. Or, by changing the plug-in point of the microphones, it would make for a different type of rotating shape — not just circular. So with the first types of electronic manipulation, Stockhausen was at that time able to do very interesting spatial work, which was not just cosmetic, but fundamental to musical thinking.

When I was quite young I became interested in his work and I felt there was a certain metaphysics in Stockhausen. This metaphysics is concerned with flying. One's movement as a body in space, but also among other bodies themselves moving around: invisible objects or presences moving. This seems to be a very important change in music, because it's a completely new dimension. In the 20th century, we had for example the growth of timbre — a very important new dimension in composers' thought — which led to Spectralism, and to the use of the computer as such as a tool for studying the nature of acoustic structure. Next, we had movement: music began to take off: it began to fly. So I believe it's a revolution, a fundamental one, and not just a pretty thing — not something sensational like 'son et lumière'. This ties in with Gaston Bachelard, a writer I like very much — particularly his *L'Air et les songes*.[4] It's not well known in England at all — but it *is* translated into English,[5] and a few people read it now. Suffice it to say that it has been very influential on me. I love the idea of dynamic movement being at the base of thought, for example, moral thought being impossible without a concept of 'high' and 'low'. Without them, you cannot *think* morality. There are many other examples of how space precedes logical thought. This is very fundamental.

Compositional implications of the *Spatialisateur*

Coming to IRCAM, then, and working with the *spatialisateur*,[6] further refinements of movements in space became possible, because the control is complex. One can regulate the type of reflections of the sound, their reverberations, whether they arrive early or late, how far the sound is moving away in space and what kind of environment the sound has around it: hard or soft walls, smooth walls or irregular ones — like trees in a forest, irregular blocks that reflect the sound in a different way, as well as the high or low quality of the frequencies.

The independence of the speakers is very important. The fact that you can have 4, 6, 8 or 20 speakers, or any number you like: the sound is *between* the speakers. It doesn't come from *this* speaker or *that* speaker. It is always calculated to use the speakers to locate itself. You're never conscious in my experience of any one particular speaker. You're always conscious of sound being somewhere around you, with the *spatialisateur*. That is a big improvement on Stockhausen's early experiments in the 1950s. Of course, any tracery is possible; one can make any trajectory with a pen, for example, on the graphic tablet. One can draw in real time any movement in space. Beyond that, I have constructed rhythmic movements. I think other composers have as well, such as Emmanuel Nunes. This is when the sounds that are being played into the microphone move according to musical structures which are played as sound by the instruments — rhythmic structures. So you have two levels: the rhythmic structure of the instruments in the normal way, and at the same time — perhaps in counterpoint to that — you have the rhythmic structure of how it moves in space. And of course it can move quickly and clearly with the *spatialisateur*. So you can have a rhythm [*sings and illustrates spatialization with index finger*] 1,2; 1,2,3,4,5,6; 1,2 which is quite clear in moving from left to right, or from front to back, in defining the beats. In this way, one can make *rhythmic themes* in space.

In my last quartet[7] I tried to emphasize that by making very indefinite sounds move. Sounds which are just made on the body of the instrument with the bow, for example, which produce wind-like noise. So you hear this wind blowing in a rhythm, and there is no 'music' to distract from just listening to the movement of the noise. There are quite long periods when only that is present, contrasted with other periods when the music is more like normal music, when normal parameters are in play. We are able to enter into sound more deeply and we get nearer to Bachelard's oneiric flight, because the sound is moving. If you just see musicians on a stage, in the distance, as is the case normally, you tend to have a sense of *self* and *other*, of *them* and *us*. They're different, and there is a kind of wall between us — however involved we are in the performance. In the case of speakers placed all around the auditorium, however, there is sometimes a different and rather profound psychological change. It becomes a way of living the music, or swimming in the sea of music, or moving as body in a quite different way.

Spatialization, Home Cinema and Domestic Listening

Nicolas Donin: Could it be said that the new technologies of sound and image reproduction, which have been commercialized in the last few years in the form of home cinema systems, are a kind of domestic equivalent to the types of listening situations which you have been discussing?

7. String Quartet no. 4 (2003), with live electronics developed by Gilbert Nouno, IRCAM.

Jonathan Harvey: That is the question of the domestic context of music: when you don't see the players. I recently spoke here at IRCAM about how the home of the future would certainly be equipped with a multimedia room. It's not so far in the future because we already have an Imax screen and big surround screens. We like to get closer and closer to the ordinary world. It's a paradox. We spend more and more money to get closer and closer to what we have around us all the time. Maybe the ideal result of this will be not being able to tell the difference between your media room and the outside world: sound all around you, screen all around you. But of course, the important difference is that it is controlled by *you*, by interactive processes, by the artist and the world you want to be controlled by. To enter the artist's world you play your CD or your DVD or anything else, and the artist controls your reality as if it were real life. You can't tell the difference. You're really in a concert hall or in the middle of an orchestra, or you're in the middle of some fantastic science fiction sound world which you've never heard before. And let's hope it's a work of art as well. It's a good opportunity for artists to create virtual worlds which are *extraordinary*. So I think that will happen, and I think it is a great opportunity for artists.

Now we come to the social aspect of our question. Of course, we need to go to social rituals, meeting our friends and getting the feeling that we're all together receiving the work of art. I value that very highly, I have to say — the almost telepathic communication from one human being to another. Nevertheless, virtual reality certainly has become a very powerful alternative way of living.

Nicolas Donin: Do you generally think and make music in relation to the varieties of space in which it will be heard, as well as to the medium on which it will be diffused?

Jonathan Harvey: Yes, but I have to confess it's mostly for a hall and the occasion of people gathering together and listening to music together that I have in mind when I compose. I have never written a work for CD. Even the tape works that I have written, I imagine them in a beautiful hall. Because there is something splendid about being in a fairly large space and hearing the voice of the room or hall in a multichannel tape work. Some of my friends say: 'No, listening is better at home. You don't need to go to any halls any more. You can do everything at home!' That is really what they believe, but I don't. It may be what will happen in the future, but it's not necessarily my favorite path to the future, or what I would desire. What I *would* desire, however, is for recordings to be multi-track — a really good simulation of space, and of course, if possible, with wide use of spatialization.

Interactive Possibilities in the Future

Nicolas Donin: In your opinion, what manipulations are possible or desirable today for the listener?

Jonathan Harvey: Anything that helps the listener to understand the music is important: to be able to select excerpts from a piece — violins alone, contra-bassoon or woodwinds alone; to be able to play what you want — either this way or that way. You can select. And maybe there's a text which can help you to understand the piece and you can go to a certain point in the music and listen to what the text is talking about. 'This is an important idea', the text says, so you can listen to it — even if it's hidden in the ensemble.

Nicolas Donin: You were saying that it is important to be present with the musicians, particularly in order to be able to see them playing. The principle of home cinema, as it exists today, is in fact to place a single screen as the main focus of attention. Although today's music DVDs are undoubtedly not very different from conventional TV programs, and are only remotely interactive, would it not be possible to imagine a different function altogether for the visual element in this kind of system?

Jonathan Harvey: I think it is important to see the players — but not all the time. That poses problems of consistency, similar, I suppose, to those in a TV broad-cast of a concert. *Either* you need to see the players all the time, *or* you need some visual abstraction. Maybe the two could be mixed and still be aesthetically successful. But if you don't just look at the players, then you can perhaps look at the score, or you can look at some abstract version of the score. For instance, for people who don't read music, you can watch figures, lines or shapes passing by. You can be more or less pedagogical, more or less artistic, you can make repetitions clear with symbols, or you can ask an artist to make a poetic ana-logue — which is dangerous — but maybe it could work! With a good com-poser and a good artist…

Nicolas Donin: But that doesn't ensure a good connection. At any rate, is it safe to say that for you the concert situation still takes precedent over a domestic lis-tening experience?

Jonathan Harvey: I think the live performance is usually the aim for me per-sonally. If I listen to a CD now, I always think 'Oh, I want to hear that piece.' I don't think, 'I have just heard it,' so now I must go to a concert and really hear it: because that is the most living experience. I don't mean to say that repro-duced sound is without value — of course you have wonderful aesthetic and poetic experiences from reproduced sound, but it's not quite the same.

8. As is often the case, in this concert *Gruppen* was performed twice, and the audience members were invited to change positions for the second performance.

Nicolas Donin: I'd like to return to Stockhausen, to *Kontakte* and *Gruppen*. As it happens, the first time I heard *Gruppen*, what struck me was the fact that I couldn't make sense of anything before hearing it for the second time, from a different vantage point.[8] One gets the sense that the work does not exist as a single discrete occurrence, but rather differently in every different experience of the work. Could it not be the case that we could have faster access, in a domestic listening environment, to this dimension of multiplicity of the work?

Jonathan Harvey: One could imagine having control — being able to change your seat during the performance without having to wait for the interval, or being able to slowly change your perspective. I think that would be possible, technically, though I'm not sure. Were it possible to move your listening head around an orchestra, *that* would be very interesting.

Nicolas Donin: It might not be possible to claim that the concert hall offers a 'correct' or 'proper' listening experience. If an alternative listening experience is available in a domestic space, with all of these aspects added to the 'original' experience, then there is a kind of complementarity between the concert and the domestic listening situations.

Jonathan Harvey: It's the same with the CD, really. On a good recording you can hear things in detail which cannot be heard in a concert hall: the two *do* go together. But of course it would be possible to install 10 or 15 microphones in the auditorium for a performance of *Gruppen*, and just switch from one input to the other. It's really quite simple; you could do that with a Brahms symphony. And so you'd get these different perspectives. These improvements would be more significant for a work like *Gruppen* than for the Brahms however. What would be more significant for the Brahms piece would be the techniques of singling out certain passages, certain layers: if you want to play, for instance, only the accompaniment in the strings, and not the melody. You might want to listen carefully to the bass strings alone, as an educational tool, because most people will listen only to the melody, and they won't bother concentrating on what's going on underneath.

Nicolas Donin: Let's suppose that all these manipulations which we have been discussing were now possible with a standard home cinema. How would this affect the way that composers imagine and then compose their music which will be widely played on such systems?

Jonathan Harvey: The obvious thing that will happen is that the music will become more complex. Imagine Brian Ferneyhough and his piece *La terre* *est un homme* (1976-1979), for large orchestra, which is very rarely played. Every player, all the violins, have complex solo parts — extremely refined and multi-dimensional parts. It's an orchestra composed of soloists. It's impossible to hear — and Ferneyhough agrees — it all depends on where you're sitting. It's different in each seat. Imagine that with a refined system enabling a change in your listening location. You would be able to explore a work like this, which is a labyrinth. You would be able to explore this labyrinth as you wish. And that might be exciting, more exciting perhaps than hearing it in a concert hall. Composers attracted to complexity will be able to compose labyrinths which can't be seen at a glance; they have to be explored slowly. That will be an important change.

People will see and let be (2006, technique mixte, 18" X 21")

Some Ideas about Viewer Re-Mobilization from a Practice-in-Progress

Marc Couroux

> Art is a perspective; all perspectives are lies about the total truth;
> so art is a lie that, if it is strategically chosen, wakes people up.
> Art is a lever to affect the mind. The truth of art is in the audience's,
> the individual's, awakened perceptions. It is not in the work of art.
>
> Richard Foreman, 1992

The aim of this article is not to provide any permanent normative solutions to the many conundrums surrounding the concert ritual today, but rather to present a practical view of one artist's dealings with the social and political aspects of the concert, seen through a variety of works realized between 1999 and 2006. While the earlier works discussed operate fully within the concert format, later works demultiply and problematize the ritual by including video and installation elements. Pure video works realized during this same period have absorbed this dialectic within the fabric of the work itself.

My work as a whole has been centered around the reintegration of the listener-viewer into the social event, specifically the concert format, and as such has generated a variety of situations in which this transformation could potentially take place. While the reason I have chosen to work—and continue to work—within the boundaries of the proscenium-audience dialectic has much to do with my training as a performer, it has also functioned as a control group, enabling me to test some ideas about viewer mobilization. I have (thus far) avoided the use in these works of "interactive" technologies, in order to highlight the inherent interactivity present when a viewer engages with an ongoing ritual-process.

Specifically, I am interested in the potential of art as a motor for social investigation, in which the properties of the work itself, employing the perceptual and cultural prejudices of the viewer as prime material, enables the creation of a productive, creative zone of inquiry. My work is designed to empower the viewer to think critically about what he/she is witnessing, leading the latter to make imaginative and metaphorical links between art and social issues. Indeed, the artwork should function as a generator of ideas, a mirror of the viewer's own relationship to the world around him/her, a stimulus for further inquiry. As such, both the media employed in achieving this goal, as well as the stylistic approaches adopted, will vary radically, according to the needs of the work. Fundamentally, as the Foreman quote above indicates, I am shifting the weight of the communicative interchange to the viewer, and away from the artist-performer: it is the former who has the ultimate responsibility. The concert experience as I envision it is not a sleepover — it is an intense, demanding physical and psychological environment where choices are made and where questions never cease to arise.

To understand where the preoccupation with dismantling and rebuilding the concert ritual came from, some backtracking through what I might call *performative science* is called for.

Excess, Transcendence and Aura
Theatre of Entropy/American Dreaming (1998-1999)

In my formative years, I deliberately avoided studying the performances of classical pianists because of a general mistrust of an oral tradition light-years removed from the inflexible sanctity of the written score. Attempting to reinvent the music directly from musical notation leads one into areas of interface which might have otherwise been glossed over or simply rejected in an attempt to insert oneself as surreptitiously as possible into the classical performative canon. The whole notion of 'what sounds good,' merely a collection of culturally received attitudes, always seemed to me ripe for questioning. Moreover, much of what the performance of classical music has meant for the past 150 years or so has been inextricably fueled by the Olympian ego present in every performer, a ritual based in outward 'demonstrations,' a self-definition always attained by an external affirmation of ability: the performer-as-hero.

The attitude which consists in presenting the 'perfect performer' as a transcendental demigod, a pure product of the 19th century, still persists in concert halls across Europe and North America today. The ritual of interface between performer and instrument but also, by extension, that between performer and audience, has been transmitted uncritically in the bland, essentialized practices of today. One only has to remember that this current concert ritual has only been in place for roughly 150 years, ever since Franz Liszt began performing other composers' music as well as his own. The composer-performer as *total* musician soon became a rarity. Nowadays in the serious-music world, there is an exaggerated emphasis on the flash of virtuosity, though it curiously backfired in the case of the notorious David Helfgott, whose virtuosity, as exemplified in the movie *Shine* (1996), was later (and quite interestingly) dismantled through his idiosyncratic public performances. Nevertheless, this demonstrative patina of proficiency always seems to lurk near the surface in equal measure in commercially produced work as well as recent art music.

Prior to Iannis Xenakis' monumental *Evryali* (1973), despite the growing difficulty of piano literature (due to significant advances in *performative science*, i.e., more efficiently trained performers), it was nevertheless possible for any trained virtuoso to attain an optimal physical realization of any work (leaving aside the question of musical values). This heretofore certain goal was unceremoniously laid by the wayside with *Evryali*, which contains passages that can never — and *will* never — be realized perfectly by any human performer. As such, it constituted a major turning point, in which the well-oiled (and hardened) paradigms of piano performance practice finally fell apart, to be replaced by provisional and open-ended values. This spurred composers to explore the notion of *critical virtuosity* in their music, by deliberately writing *against* conventional physical paradigms, in order to trigger new relationships between body and matter.

We live with the antiquated notion that the performer is a totalized whole who must confidently project the music he plays in order for the message to be transmitted. What might conceivably happen if the performer were deliberately *ineffective*? What would be the sonic result of such explorations? Moreover, it has seemed to me that the one central issue preventing a more widespread communication between the performer and the listener (the key crisis of contemporary music this past century) has been the refusal on the performer's part to let his performative persona disintegrate on stage. Why couldn't the performer's entire nervous system be put on the line in front of everyone? The example of Helfgott is unwittingly appropriate: the audience at times seems more interested in the possibility of collapse rather than success. Wouldn't that be a more human form of communication? It would undoubtedly derail the composer's creative monopoly and position of authority (especially over the performer). Though we never hesitate to qualify music as radical or avant-garde we almost

MARC COUROUX

85

always fail to question the structures in which this music is presented. I think this is the one crucial leap that both composer and performer have to make in order to finally leave the 19th century behind. The separation of composer and performer as two distinct professions has effectively reinforced the status quo: the performer, removed from his creative position, seeks to nevertheless demonstrate his virtuosity, his heroism, his superiority to the audience; the composer, increasingly sheltered and disconnected from the necessity of ritual-making (which he had to deal with as performer), becomes overly concerned with purely musical content, to the detriment of context and surrounding ritual.

Glenn Gould, sensing the aforementioned *performer-as-hero* syndrome as no longer necessary or even relevant, abandoned the concert stage back in 1964, stating that there was no need "to climb Everest just because it is there [...] It makes no sense to do things that are difficult just to prove they can be done" (1990, p. 452). Gould's solution was draconian: end the concert altogether and replace it with the increasingly capable medium of recording. Gould replaces communal ritual with one entirely individualized, occurring between the listener and the recording, contemplated in a private environment. For Gould, technology "has the capability of replacing those awful and degrading and humanly damaging uncertainties which the concert brings with it; it takes the specific personal performance information out of the musical experience" (Gould, 1990, p. 452). Gould keenly sensed the intense dislocation between the prevalent concert ritual and modern technological reality, but his solution nevertheless rules out even the remotest possibility of creating a new performance ritual which would reengage the lost listener on a level in step (or consciously out-of-step) with modern society. Still, a few listeners were undoubtedly shaken when Leonard Bernstein addressed the audience before conducting a version of Brahms' Piano Concerto No. 1 in 1962, a version which Gould had mandated and Bernstein vehemently disagreed with. His speech effectively disclaimed any responsibility for the subsequent interpretation.[1] Frequently cited as a decisive step on the road to Gould's retirement, this moment in history also stands as one in which the authority of the onstage performers has been challenged, and the listener suddenly dislocated from a position of pure receptivity to one of provisional uncertainty.

The paradigm shift ushered in by *Evryali* was taken up only a few years later in Brian Ferneyhough's *Time and Motion Study II* (1973-1976), which as its title indicates, literally enacts a study of performance efficiency. As British composer Richard Barrett describes it:

> The cellist has a succession of complex and often obscure "tasks" to execute, involving not just instrumentalism but also the simultaneous operation of two independent

1. Disclaimer available at <http://archives.cbc.ca/IDC-1-68-320-1766/arts_entertainment/glenn_gould/clip3>:

"A curious situation has arisen which merits I think a word or two. You are about to hear a rather shall we say unorthodox performance of the Brahms D Minor Concerto, a performance distinctly different from any I've ever heard, or even dreamt of for that matter, in its remarkably broad tempi, and its frequent departures from Brahms' dynamic indications. I cannot say I am in total agreement with Mr. Gould's conception. [...] But the age-old question still remains : In a concerto, who is the boss? The soloist, or the conductor? The answer is of course, sometimes one, sometimes the other, depending on the people involved. But almost always the two manage to get together by persuasion or charm—or even threats—to achieve a unified performance. I have only once before in my life had to submit to a soloist's totally new and incompatible concept and that was the last time I accompanied Mr. Gould. But this time, the discrepancies between our views are so great that I feel I must make this small disclaimer...."

volume pedals and eventually also his/her voice, while being surrounded by a formidable apparatus of multiple microphones (one attached to the player's throat), tape-delay systems and a ring modulator, and two or more "assistants" behind the mixing desk who constantly monitor, amplify, record, deform, play back and eventually "erase" the cello's "transcendent" monologue (Barrett, 1998, p. 3).

As the cellist is increasingly forced into a tight corner, overloaded with contradictory and mutually annihilating tasks, an exploded "drama" takes place, occurring within the confines of the performer-instrument conflict rather than situated in any extra-musical or theatrical project. This train of thought has been pursued more recently by Barrett himself, albeit in quite a different manner. In a work such as *Tract* (1988-1996) for solo piano, the last 200 years of Western classical performance practice suddenly collapse; only shards of a past relationship are brought back for iconic value. The conceit of projecting a traditionally confident, totalized vision is no longer in the foreground. Rather, in the way Barrett transparently lays out physical conundrums, an X-ray of the performer's own physical relationship with his instrument begins to emerge. No longer are performer and instrument perceived as one single entity, merged in a state of complete identification, but two separate entities. The *drama* is now played out in the existential conflict between performer and instrument, which might eventually lead to a new paradigm of listener-performer interaction. The listener's energies are now effectively marshaled in the deconstruction of the performative self through a transparent dissection of the performer's relationship with his instrument. (Not surprisingly, Barrett has been criticized as "oppressive" for daring to question this last sacrosanct area of the classical performance tradition...Gould would most certainly have appreciated the dissective qualities of Barrett's work (being a fanatical dissector of his own performances), but not the degree to which the performer is consequently stripped of his self-assurance in the process!). A new identification is created between the listener and this tangibly frail, no longer over-confident person on stage, coming to terms with him/herself through the medium of the concert. Much more than a simply voyeuristic, titillating relationship, the audience member is asked to question his/her active role in the social fabric of the concert.

In Xenakis' *Evryali*, the notion of failure doesn't come into play inasmuch as the performer is always required to engage the larger sonic picture adequately enough so that he gives the impression that he/she is playing everything. *Evryali* becomes a largely personal conflict, a struggle with oneself to project a successful image to an audience (the Olympian bravura is still omnipresent), despite the overwhelming odds. The roots of a new performative paradigm lie there for the taking, though few have ventured there in recent years. *Evryali* deliberately oversteps the body, transgresses it, by projecting an austere *outside-time* phenomenon into the abyss between the performer and the instrument, revealing an endless stream of possibilities of action between these two solitudes. (Xenakis' arborescent graph—the outside-time generator—enacts, when faithfully translated, eventual performative impossibilities). A courageous and deliberate act of faith is required from the performer; the composer sets this in motion and can only hope that the performer will use it to transcend the body (and one's self-imposed, often unconscious, set of limitations) and to open up new realms of perception and physicality.

In 1998, still ensconced in the contemporary music scene as 'star performer', having increasingly difficult, nigh impossible works written for me, with the increasing expectation that failure would inevitably ensue, I began developing a series of approaches to the piano which had implications far beyond the development of a purely musical language. These techniques, which I named the 'Theatre of Entropy' (referring to the diminishing returns of impossible notated works), mainly dealt with the moment of interface between performer and instrument, not only including physical conceptions but also—crucially—psychological constructs. The physical dimension was articulated mainly by a decoupling of sound-producing gestures from the resultant sound, a series of involuntary, quasi-spastic gestures producing half-baked, imprecise, broken attacks, the aporias of conventional keyboard technique. Eschewing all peripheral, modern sound-producing techniques (plucking, strumming), I focused exclusively on the simple, but mechanically complex moment of interface between the pianist and the surface of the keyboard, as such returning the onus of experiment on the musician. I often employed *slow transitions of bodily comportments*, in which the basic textural material remains static while the filters/sieves through which the material passes undergo transformation, i.e., the degree of bodily receptivity/flexibility. This creates a sonic result which is ill-defined, mysterious. The listener is constantly aware of significant changes, but is unable to put his finger on exactly what those changes are.

The nature of what constitutes an idea is also repeatedly put into question in my music. I am mainly interested in ideas that have not yet reached a *full-fledged* stage of development. This is manifested a) on a pragmatic, surface level, by creating half-sounds, 'slurring' on the surface of the keys, never making a great effort to articulate an idea proper, not encouraging any strong structural delimitations; and b) on an ideational level: the sounds are all well-executed, well-played, traditionally articulated, but the idea at the source is at an unformed, *pre-concert* stage. The question remains: what makes an idea an idea and can one negociate the continuum between an idea and a non- or pre-idea?

One of the ways in which one can effectively test this notion is through the deliberate prolongation of ideas beyond their standard lifespan, even way beyond. (The idea that a particular idea could have a predetermined lifespan is a notion assessed and maintained through the standard Western classical canon.) This is achieved by setting a fixed, mandatory duration within which the improvisation takes place. The duration is unusually long and forces the idea to either develop or to allow its un-formedness to become the centre of the discourse, never settling into a totalizable reality. I am interested in endless digression which does not ever intend to resolve itself into intelligibility of a teleological kind. Rather, the digression is the main topic. The idea of *process* becomes frozen, imitates itself, feeds off its own febrility, veers off constantly, but never as a prelude to hierarchization. Also, the emphasis that is placed onto this digression *in extremis* leads at times to a deliberate confusion of intent, where one parameter stays fixed while the others keep slipping, eroding. One is forced to question the apparent banality of the process at hand, without ever being able to ascertain it as fact or fiction.

The constant, convulsive utilization of such denaturing techniques eventually led to a self-generating feedback loop in *American Dreaming* (1999), in which unintentional sounds, produced involuntarily, are then consciously channeled, refined and directed, balanced-out, or thrown out of whack. The circular nature of this process eventually begins radiating outwards in the form of increasingly psychological energies from the performer caught up in the throes of experimentation. The site of investigation now became enlarged to include a psychological component to this increasingly de-differentiated, variegated interaction.

The medium is at least half of the message
le contrepoint académique (*sic*) (2000)

> Human beings are to a great extent unknowable to themselves. Passing through each of us is a continual flow of motor and emotional impulses we are taught to give conventional names—'hunger', 'lust', 'aversion', 'attraction'. But these labels are neither truthful nor accurate; condensing our wide field of impulses into a few nameable categories suppresses our awareness of the infinity of tones and feeling gradations that are part of the original impulse. As each impulse is shaped in accordance with the limited number of labels available in a society, the sense of contact with their original ambiguous flavor is lost. […] We all tend to forget that our monolithic self is the product of a learned perceptual system, in which the constraints of convention and habit pile up to deaden our ability to scan those freedom-giving contradictions of our impulsive life. These contradictions are really doors; doors to understanding that the monoliths you perceive as blocking your path to happiness are, in fact, clouds of language and impulse in continual circulation. (Foreman, 1992, p. 3 and 29)

My early works were intended as X-rays of the proscenium-audience dialectic — the basic social format of the concert — by subverting the basic power-structure enacted between the onstage hero (the performer) bearing the *ultimate truth* and the captive *disciple* (the listener-viewer). In challenging the authority of the performer on stage, I sought to undermine the existing hierarchical and political structures within which concert music is presented and open them up to progressive conceptions.

In order to bring about substantive change in the listener-viewer's position with regard to the performer, I began to look outside of music to unearth possible catalysts for further investigation.

Through the invocation of an "academic, dusty, textbook, archaic, idealized counterpoint, essentially impossible and unrealizable", *le contrepoint académique (sic)* (2000) was the first attempt at creating a work, which in its ritual could not be absorbed according to conventional paradigms. At the time, I had been impressed by Language poet Charles Bernstein's article "Artifice of Absorption" (1992, pp. 9-89), especially in its dissection of ideas of *essentialization* or *monolithization* — reductions to fictional, but easily graspable essences that, though easy to describe, suffer from a critically diminished capacity for diversity. At times, even the concept of actively projecting one's performative fruits to the audience — standard practice for any performer-as-conduit — was deliberately transgressed.

In the early video works of Bruce Nauman, the artist performs simple, repetitive activities in his studio, the nature of which are described in the various titles: *Stamping in the Studio, Slow Angle Walk, Bouncing in the Corner* (all from 1968). These works, each lasting 60 minutes (the length of a videotape), though destined to be observed after the fact, are not performed for the viewer, but are private experiments, destined to unlock bodily comportments and usher in bodily failure (appropriately, *Beckett Walk* is the subtitle for the second work). To transfer these private comportments to a public arena, as was attempted in *le contrepoint académique (sic)*, was a clearly alienating strategy, destined to provoke an unorthodox type of response from the Victoriaville Festival viewer, who has been conditioned to accept death-defying outward demonstrations of instrumental prowess as a matter of course. (I have often thought that, regarding concert ritual, it was easier to confound a new music spectator than one attending the most conservative musical event).

By providing the listener-viewer with a continuously shifting, ambiguous, conflicting set of relationships between the performer-protagonist and his public, I wanted to create a situation which resisted easy absorption into dominant ideologies. By constantly sending out contradictory messages to the viewer, I wanted to gain his/her active mobilization in the concert ritual. It was my intent to provide the viewer with *anti-absorptive* strategies — contradictions and confrontations between various physical-musical impulses — requiring him/her to formulate an active, critical, analytical response, effectively ensuring the artwork remains electrically charged with potential meaning and permeable to interpretation, yet irreducibly complex and stubbornly resistant to summarization.

The goal of *contrepoint académique (sic)*, as with the rest of my work, is not to offer clarifying solutions, which would simplify and in effect render the work impotent, but to raise questions, contradictions, insinuations, leaving to the listener the responsibility to think and to ask his/her own questions.

The internalization of responsible viewing
Blowback at Breakfast (2003)

English Utilitarian philosopher Jeremy Bentham outlined the design in 1787 of a model prison, the *panopticon*, a round-the-clock surveillance machine. A circular structure, the panopticon allows an observer to ostensibly observe all the inmates without them being able to tell whether they are being observed. This "invisible omniscience" eventually has the effect of leading the prisoner to internalize the external gaze, to police himself. In *Blowback at Breakfast: A Dr. Kissinger Mystery* (2003), the listener-viewer is surrounded by stimuli, placed in an environment which compel a response effectively breaking down the power structure separating him/her from the performer.

The tables have been turned: the *truth* no longer emanates from the protagonist on stage, a Henry Kissinger-like figure dryly reciting official congressional testimony, but from the 17 mini-speakers scattered throughout the hall, *leaking* secret conversations between President Richard Nixon and Kissinger directly to the viewer (the number of speakers refers to the 17 White House officials wiretapped by the FBI under orders from Kissinger). Official *lies* trigger dissimulated truth. The listener is placed in a unique position, where he/she will be able to interpret the ongoing onstage ritual under a more subversive, critical light. However, the protagonist is still able to control (to a degree) the content and frequency of the *covert disclosures* via a speech-triggered noise gate, functioning unpredictably (altered circuitry). Both protagonist and viewer are therefore caught in a perverse double-bind relationship, in which the latter, placed in a uniquely critical position, will attempt to separate truth from *spin*, while the former, paranoid and over-aware of his projected image, will increasingly seek to control the aspects of his persona which can be revealed. The protective membrane surrounding him now in tatters, a speculative space between his spun stage image and his true nature is pried wide open.

In my work, contradictions unfolding over (usually) long durations never settle into a coherent larger picture which, once understood, can then be consigned to the memory hole. Raymond Carney, authority on the films of John Cassavetes, expresses it perfectly:

> Cassavetes offers us *concatenated knowing* in place of *consolidating knowing*. Rather than rushing to a portable meaning, the viewer is forced to live through a changing course of events. In this view of it, meaning is always in transition: it lives in endless, energic substitutions of one interest and focus for another, in continuous shifts of tone, in fluxional slides of relationship. […] In Cassavetes's work, rather than cumulating, succeeding meanings are orchestrated so as to erase or war with preceding ones. […] Meaning is proliferated away from all static or unifying centres of significance... (Carney, 1994, p. 254)

The Position of the Listener
Watergating (2005-2006)

Created over a two year period, *Watergating* (subtitled *Selected Hearings*) (2005-2006) uses historically charged material as a pretext for investigating potentially transformative perceptual phenomena.

At the centre of this work are the concepts of hearing (acoustical phenomena) and listening (socially or politically mediated hearing), glimpsed through a visuality derived from early 1970s video art. Indeed, the period of 1973-1974 is seen as a crucial turning point, both historically speaking, where modes of aurality and language are increasingly scrutinized (especially through the ubiquitous, televised Watergate hearings) and artistically, where the television increasingly becomes the site of visual experimentation. The Watergate scandal of 1973-1974 is therefore intended as a door through which these concepts can be critically investigated, providing as they do a rich array of modes of hearing and listening.

Listening is considered here as an inherently political action, constituting nothing less than an X-ray of the listener's own political alignment and self-positioning within the social structure. The work is intended to bring out these alignments into the open, prying open a Pandora's Box of assumptions and underlying perceptions enabling (and sometimes urging) repositionings and reformulations. Rather than a direct transmission of political-informational content (indicting or exonerating the main players), the politics of this work are situated on a *pre-activist* level, working with the conditions prior to political mobilization, inherently indivisible from the socially bent act of listening and the physical nature of hearing. In other words, the artwork aims to substantially challenge (through a variety of conceptual means, usually circuitous and rife with contradictions) the modus operandi through which political information is channeled to us; in the absence of any attack on the roots of political apathy, the message, however earnest, can only slide off the recipient without the slightest dent.

Each of the four sections of the work places the listener in a discrete environment in which the 'rules of engagement' resist conventional categorization. Though *Watergating* is ostensibly a concert work, in which the viewer is seated, observing the fundamental precepts of the proscenium, his position is continuously de- and re-centered. I conclude this text by pointing the reader towards an online, detailed description of *Watergating* (Couroux, 2005), as it accurately outlines the conceptual underpinning of my work and the essentially semiotic slipperiness which I believe must be at the root of any attempt to reclaim the listener as a probing, active, critical thinker.

BIBLIOGRAPHY

BARRETT, Richard (1998), *Brian Ferneyhough: Solo Works* (CD liner notes), Etcetera KTC 1206.

BENTHAM, Jeremy (1995), *The Panopticon Letters* (ed. Miran Bozovic), London, Verso.

BERNSTEIN, Charles (1992), *A Poetics*, Cambridge, Harvard University Press.

CARNEY, Raymond (1994), *The Films of John Cassavetes: Pragmatism, Modernism and the Movies*, London, Cambridge University Press.

COUROUX, Marc (1994), « Dompter la mer sauvage : réflexions sur Evryali de Iannis Xenakis », *Circuit : musiques contemporaines*, vol. V, n° 2, pp. 55-67.

COUROUX, Marc (1999), *Theatre of Entropy, an introduction.* Webpage, <http://pages.infinit.net/kore/entrointro.html>.

COUROUX, Marc (2000a), *American Dreaming*, <http://pages.infinit.net/kore/american.html>.

COUROUX, Marc (2000b), *le contrepoint académique (sic)*, <http://pages.infinit.net/kore/contrepointENG.html>.

COUROUX, Marc (2002), *The Resocialization of Concert Music*, <http://pages.infinit.net/kore/resocialization.html>.

COUROUX, Marc (2003), *Rockford Keep on Rolling: A conversation on and around absorption*, <http://pages.infinit.net/kore/rockcon.html>.

COUROUX, Marc (2005), *Watergating*, <http://pages.infinit.net/kore/watergating.html>.

FERNEYHOUGH, Brian (1997), *Collected Writings, edited by James Boros and Richard Toop*, London, Harwood Academic Publishers.

FOREMAN, Richard (1992), *Unbalancing Acts — Foundations for a Theater*, New York, Theatre Communications Group.

GOULD, Glenn, (1990), *The Glenn Gould Reader*, Tim Page (ed.) New York, Vintage.

HARLEY, James (1998), "The New Nihilism — L'Objet Sonore and the Music of Richard Barrett", *Musicworks*, n° 72, pp. 26-34.

La science et l'intuition (2006, encre, acrylique et photographie sur canevas, 75" X 98")

Les musiques classique, moderne et contemporaine larguées par la radio publique : le cas d'Espace musique[1]

Jean Boivin

Lors de la rentrée d'automne 2004, les transformations majeures mises en œuvre au Service des émissions radio de Radio-Canada à Montréal, et qui se sont traduites par la disparition de la «Chaîne culturelle» de Radio-Canada au profit d'«Espace musique», ont suscité beaucoup de réactions — très majoritairement négatives — de la part des auditeurs réguliers et, plus particulièrement, au sein de la communauté musicale québécoise. On déplorait principalement le retrait de la programmation d'émissions culturelles (vouées à la littérature, au théâtre, au cinéma, aux arts visuels, à la musique non commerciale, etc.) et la place congrue désormais allouée à la musique dite «classique». Une vive nostalgie pour les «grandes années» de la radio publique canadienne-française s'y exprimait sans pudeur, appuyée par de solides arguments en faveur d'un média consacré à la *diffusion*, certes, mais aussi à la *critique* et à l'*analyse* des arts. Un mouvement de protestation est né, à l'instigation de Jean Portugais[2]. Le Mouvement pour une radio culturelle au Canada (MRCC)[3] a suscité des lettres d'appui d'auditeurs et des réactions institutionnelles, et les a diffusées sur son site Internet (<www.radioculture.tk>) ; au moment d'écrire ces lignes, elles y sont toujours. Plusieurs mois plus tard, après divers échanges et de nouvelles interventions dans les journaux, le Conseil de la radiodiffusion et des télécommunications canadiennes (CRTC) refusait d'intervenir directement. La «révolution» des ondes était accomplie et le paysage radiophonique canadien, naguère envié

1. [ndlr] : Le texte intégral de cet article est disponible sur le site de *Circuit*, en allant au <www.revuecircuit.ca/web>.

2. Professeur de didactique des mathématiques à l'Université de Montréal et mélomane aussi passionné qu'averti, Jean Portugais était lui-même régulièrement invité à commenter de nouvelles parutions discographiques à l'émission Rayon musique de la défunte Chaîne culturelle.

3. Selon le communiqué de presse émis à l'automne 2004, le «Mouvement pour une radio culturelle au Canada (MRCC) soutient et revendique une radio publique de qualité en matière culturelle. Il conteste la décision de Radio-Canada de supprimer la Chaîne culturelle sur la bande FM. Le mouvement demande au Conseil de la radiodiffusion et des télécommunications canadiennes (CRTC) la tenue d'audiences publiques sur la situation actuelle et sur l'avenir de la culture à la radio d'État, tant en ce qui concerne la musique classique que la littérature, la philosophie, les beaux-arts, la danse, le cinéma et les sciences.»

4. Envoyée à *La Presse*, *Le Devoir*, ainsi que *La Tribune* de Sherbrooke et aux six autres journaux du groupe GESCA, cette lettre était adressée nommément à Sylvain Lafrance, alors vice-président des nouveaux médias et de la radio française de Radio-Canada ; Christiane Leblanc, directrice de la production musicale d'Espace musique ; Robert Rabinovitch, président-directeur général de la Société Radio-Canada ; ainsi qu'à Liza Frulla, ministre du Patrimoine canadien. Cette lettre n'a pas été publiée mais a eu droit à une certaine diffusion dans le milieu musical. On pourra la lire sur le site du MRCC et sur mon site personnel <www.usherbrooke.ca/musique/personnel/profs/jean.html>.

5. On m'excusera de parler tantôt en tant que mélomane radiophile, tantôt en tant qu'ancien artisan de cette même radio publique (à une époque plus faste), et ailleurs en tant qu'historien-enseignant, passionné par la culture québécoise et canadienne.

6. Courriel à l'auteur, 22 août 2005.

7. Un exemple : à Espace musique, une plage appréciable (de 3 à 6 heures du matin, six jours par semaine) est maintenant attribuée au réseau commercial Galaxie, où la musique est diffusée en continu, sans présentations dignes de ce nom.

8. La rédaction de ce texte s'est étalée de la fin de l'année 2005 jusqu'à la fin du printemps 2006. Depuis, plusieurs indices me portent à croire que certains «ajustements» seront apportés à la programmation d'Espace musique pour l'année culturelle 2006-2007, et que les musiques modernes et contemporaines seront une fois de plus les grandes perdantes, confirmant ainsi de façon aussi éclatante qu'effrayante les craintes exprimées dans ces pages. Les compositeurs et sociétés de concert concernées ne pourront plus garder le silence et il faut espérer que la situation soit encore réversible.

9. Dès les premiers mois, et suite à une campagne publicitaire efficace, la part

par nos voisins du Sud et même dans certains pays d'Europe, semble avoir été modifié pour de bon, sans possibilité de retour en arrière. Espace musique semble bien être là pour rester.

Le 4 novembre 2004, quelques mois après le début de la «réforme», j'ai moi-même envoyé aux dirigeants et responsables de la programmation de la radio de Radio-Canada, ainsi qu'à quelques quotidiens, une lettre ouverte[4]. En bref, j'y dénonçais la réduction notable de la part occupée sur les ondes par la musique «classique» (dans le sens large, en incluant bien sûr les musiques moderne, nouvelle et contemporaine) ; la tendance de plus en plus accentuée au «mélange des genres» musicaux ; la propension à ne diffuser que de courts fragments d'œuvres classiques ; une approche populiste se rapprochant de certaines radios commerciales ; la quasi-disparition de commentaires avertis visant à mettre les œuvres en valeur ; les banalités déconcertantes, voire les erreurs grossières qui se glissaient dans les commentaires de quelques animateurs et animatrices peu informés de la réalité musicale ; l'exil des musiques contemporaines dans une plage horaire peu accessible (le dimanche soir, de 22 heures à minuit). Enfin, je déplorais la perte d'un outil d'éducation et de culture sur la jeune génération de mélomanes et de musiciens, en me demandant finalement si les dirigeants de la radio ne venaient pas de faire la preuve qu'ils ont tout bonnement «peur» de la musique.

Je n'ai pas la prétention d'aborder dans ces pages tous les aspects d'une question complexe, mais je souhaite plutôt poursuivre, à bâtons rompus, la réflexion entamée[5]. Quelques pistes proposées par Réjean Beaucage permettront d'élargir le débat. Le phénomène Espace musique, «une radio qui ne parle pas beaucoup et est assimilée par plusieurs à une bande sonore pour cabinet de dentiste», pour reprendre ses propres mots[6], ne s'étend-il pas à d'autres réseaux, comme à cette nouvelle chaîne montréalaise Couleur jazz (91,9), née au printemps 2004 et conçue essentiellement sur le même modèle ? Beaucoup d'éléments incitent en effet à croire que le commentaire éclairé et éclairant sur la musique est voué à disparaître des ondes[7], et que les musiques nouvelles sont sans doute les premières menacées par cette nouvelle réalité[8].

Je me dois toutefois de préciser qu'en contrepartie, maints commentaires positifs ont accueilli la nouvelle chaîne, éloges appuyés au cours de la première année d'entrée en ondes par une substantielle hausse des cotes d'écoute[9]. Selon toute évidence, une nouvelle clientèle est désormais courtisée sans ambages, alors qu'une autre — formée essentiellement de mélomanes avertis, de personnes qu'on pourrait qualifier de «cultivées» — se voit accorder beaucoup moins d'attention. L'avenir dira si les nouveaux auditeurs se montrent aussi fidèles que ceux qui ont été largués, et s'il n'aurait pas mieux valu chercher de nouvelles stratégies pour attirer un nouveau public, tout en consolidant les meilleurs acquis et s'assurer la fidélité d'une clientèle de choix.

Des sentiers bien… banalisés

J'ai employé il y a un instant le mot «nostalgie» à dessein, car c'est apparemment sous cette étiquette confortable que les dirigeants et responsables de la réforme de la radio publique ont classé, à l'automne 2004, ma réaction. Un musicologue exprimait sa frustration face à une radio qu'on avait volontairement «allégée» de contenu informatif et éducatif[10]. Or, argumente-t-on, le mandat de la radio publique canadienne n'est pas tant de former (les professeurs, dont je suis, sont là pour ça) que de «refléter les réalités et la diversité du pays, soutenir les arts et la culture au Canada, et enfin, jeter des ponts entre les diverses communautés et régions[11]». Dans l'entrevue qu'elle accordait au journaliste Steve Proulx, la directrice générale d'Espace musique, Christiane Leblanc, ne pouvait être plus claire : «Plutôt que de mettre en ondes de grands spécialistes universitaires, on a essayé d'aller vers des gens passionnés qui aimaient un genre de musique depuis longtemps» (Proulx, 2005, p. 16). «Auparavant, déclare encore la directrice d'Espace musique, plus de la moitié de notre auditoire était concentré à Montréal, alors que maintenant, les Montréalais forment environ le tiers de nos auditeurs» (*ibid*). Y aurait-il politique fédérale sous roche[12]?

Avant le grand bouleversement, cette chaîne spécialisée de la radio publique canadienne de langue française n'était pas parfaite, loin de là. Une cure de rafraîchissement s'imposait, de l'avis même de plusieurs membres du personnel de la radio. Mais en créant Espace musique, une radio musicale explicitement axée sur la *diversité culturelle*[13], n'a-t-on pas jeté le bébé avec l'eau du bain, comme le veut l'expression populaire? En fait, on peut se demander si, de façon plus perverse encore, on n'avait pas délibérément laissé se détériorer petit à petit une radio culturelle publique jugée trop «élitiste» par certains — ceux-là même qui manquent de culture, a-t-on envie d'écrire, ou à tout le moins de culture radiophonique… — afin de justifier, cotes d'écoute déclinantes à l'appui, le «grand ménage» qui engendra Espace musique? J'avoue l'avoir souvent pensé[14].

Un déclin annoncé du médium radiophonique?

> Le véritable élitisme est […] celui qui se traduit par un refus de rendre accessible à tout le monde les plus belles réalisations de la culture classique : philosophiques, artistiques, sociologiques, spiritualistes […] (Jean Laurendeau)[15]

Pour la jeune génération de mélomanes et de musiciens (interprètes, compositeurs, musicologues confondus), la radio publique a cessé d'être une référence

de marché d'Espace musique avait augmenté de 50%, pour s'établir à un niveau de… 2,4% (Massé, 2004, p. 6). Un an plus tard, les gains réalisés depuis l'automne précédent avaient chuté de 17% (Bérubé, 2005, p. 6), ce qui serait tout de même le meilleur résultat des huit dernières années, selon un communiqué émis le 5 décembre 2005 par Radio-Canada. En août de la même année, la part de marché d'Espace musique était de 1,7% (Côté, 2005) et de 2,2% en avril 2006 (Varin, 2006). En Europe, la norme en ce qui concerne les chaînes spécialisées se situe entre 1,5% et 2% de l'auditoire potentiel ; l'auditoire de la défunte Chaîne culturelle, s'il pouvait certainement être élargi, n'était donc pas exceptionnellement bas.

10. Et je n'étais pas le seul. D'innombrables lettres envoyées au MRCC insistent justement sur ce rôle éducationnel de la radio publique, jugé primordial.

11. Lettre de Christiane Leblanc à l'auteur, en réponse à ma lettre du 4 novembre 2004.

12. Selon de nombreux commentateurs et membres de l'auditoire, le même phénomène de «nivellement par la base» s'est produit depuis quelques années à la télévision française de Radio-Canada.

13. Lettre de Sylvain Lafrance au *Devoir*, le 21 novembre 2004 ; on se souvient que l'argument est repris par Christiane Leblanc dans sa réponse à l'auteur de ces lignes.

14. L'allègement progressif *et volontaire* du contenu informatif des interventions parlées a commencé dès l'entrée en fonction de Sylvain Lafrance à la direction de la radio, 1995. Donc plusieurs années *avant* l'arrivée des concurrents populistes déjà nommés, tel Radio-Classique-Montréal.

15. Interprète et pédagogue. Commentaires apparaissant sur le site du MRCC.

16. L'expression est du réalisateur et musicologue Mario Gauthier (communication à l'auteur).

17. Par exemple les quatre premiers soirs de la semaine, de 20 à 22 h, dans le cadre de l'émission Radio Concert.

18. Cette rencontre, tenue le 28 novembre 2005 à Montréal, avait été convoquée par Kim Orchard et Mark Steinmetz (respectivement directrice de la programmation et directeur de la musique à CBC radio), et différents intervenants du milieu musical montréalais, dont Véronique Lacroix, Christopher Jackson, Patrick Wed, Denis Brott, Iwan Edwards et Richard Turp. Le but annoncé était d'informer les participants des résultats des récentes études/sondages sur l'auditoire de CBC.

19. Durant la journée, l'auditoire potentiel ne consacrerait que des plages d'écoute de quinze minutes à la fois, ce qui justifierait de ne plus présenter de symphonies entières l'après-midi, par exemple.

20. Le réalisateur Mario Gauthier, naguère à l'emploi de la Société Radio-Canada, me signale que la BBC avait servi de modèle à la mise en place de la radio publique canadienne, en novembre 1936. Et qu'à l'origine de la radio publique, « l'implantation de la bonne musique fut hautement prioritaire à la Société Radio-Canada » (Gilles Potvin, dans G. E. Witmer (éd.), 1986, p. 40).

et de faire partie des habitudes quotidiennes d'écoute (de vie). S'il ne saurait s'agir de « donner des cours » aux auditeurs et auditrices, faut-il sombrer dans l'autre extrême et renoncer à un contenu parlé porteur de sens ? Faut-il éviter tout effort de concentration à l'auditoire et ne lui présenter que des bribes d'œuvres, à peine identifiées ? N'accorder à la nouvelle radio qu'un « rôle de transcodeur-transporteur de sons[16] » ? Que sera le public de demain des concerts symphoniques, des représentations d'opéra, des concerts de musique contemporaine s'il n'est plus possible d'écouter *en entier* une œuvre marquante du répertoire ou une page un tant soit peu moderne ailleurs que dans un créneau horaire très restreint[17] ? Sans avoir accès à des discussions sur telle ou telle approche interprétative, telle ou telle démarche créatrice ?

Cette double question de la relève et de la vitalité des sociétés de concerts préoccupe de nombreux intervenants dans le milieu musical. À plus ou moins long terme, cette diminution du temps d'écoute accordée à la musique classique entraînera-t-elle une réduction de l'offre faite au public mélomane, particulièrement dans les régions ? Quels en seront les impacts sur les différents volets de l'industrie culturelle, en croissance mais toujours bien fragile, particulièrement sur le plan du financement ? Lors d'une rencontre avec des responsables de la chaîne musicale spécialisée de la radio anglaise de Radio-Canada, « Radio Two », lesquels songent eux aussi à entreprendre une réforme en profondeur de leur programmation[18], des musiciens montréalais ont fait valoir un point de vue tout à fait différent de celui qui a motivé la refonte de la radio française. S'il appert que des changements soient nécessaires afin de répondre aux nouvelles habitudes d'écoute des Canadiens[19], ces changements doivent être faits habilement, sans écarter le rôle éducatif du média. De l'avis de ces musiciens impliqués dans leur milieu, il serait possible d'élargir l'accessibilité aux objets culturels en éduquant les nouveaux auditeurs, notamment à la culture canadienne. Et de contrer cette tendance au « grignotage » musical en offrant une programmation alléchante, présentée avec dynamisme. L'exemple britannique de la BBC, qui dispose il est vrai de davantage de moyens que ceux que le gouvernement canadien met à la disposition de la radio publique nationale, a été proposé[20]. Et les musiciens d'insister sur un point : il faut à tout prix éviter de se laisser uniquement guider par les sondages.

Un nouvel auditoire à satisfaire

L'une des principales justifications données à ce que d'aucuns considèrent comme une débandade de la radio publique serait la nécessité de répondre à une modification irréversible de la société canadienne, devenue au fil des ans de plus en plus diversifiée, multiculturelle. D'où, apparemment, la part importante aujourd'hui accordée aux « musiques du monde » (entendre ici, outre les musiques traditionnelles ethniques, les musiques métissées qui flirtent librement avec ces dernières). La question est de savoir si toutes les musiques maintenant diffusées sur les ondes d'Espace musique se valent *a priori*. Je suis prêt à le concéder. Mais tous les genres et styles musicaux existants ont-ils besoin du même type d'appui pour survivre ou contrer la commercialisation à outrance des chaînes privées? Ici, de sérieuses réserves sont permises. L'insertion récente, à heures de grande écoute, des musiques pop/folk, pour prendre un autre exemple, répondrait à un désir d'assurer une meilleure diffusion de toutes les catégories de productions « nationales », c'est-à-dire canadiennes. La chanson à texte, le jazz « sérieux », la musique contemporaine, la musique ancienne, les musiques ethniques de tradition orale non métissées, tout ça, et sûrement d'autres musiques « minoritaires » que j'oublie, ont besoin d'être soutenues par une radio publique. Tout est affaire de dosage, et d'efficacité dans l'atteinte du public cible.

> Mais comment peut-on être « de toutes les cultures »? Quand on sait comment il est extrêmement difficile d'être pleinement d'une seule culture, d'assumer toutes les dimensions de sa propre culture [...] (Louis Dagneau)

Il ne s'agit pas de condamner un style musical parce qu'il en a délogé un autre. Mais plutôt de se demander ce qu'il advient de la mission culturelle de la radio publique canadienne. Naguère, elle consistait par exemple à exploiter les trésors de la discothèque et les riches archives sonores de Radio-Canada afin de faire découvrir aux auditeurs des pans méconnus de leur patrimoine, des interprétations exemplaires d'œuvres marquantes, ou des radio-documentaires consacrés à de grands créateurs de diverses disciplines, nationalités et périodes historiques. Ou encore à permettre aux différents artisans de cette tradition, aux interprètes de renom, aux compositeurs, aux organisateurs de concerts, aux chercheurs, de s'exprimer en ondes, de présenter leurs parcours et leurs réflexions afin d'accroître le bagage de connaissances des auditeurs, d'élargir leur horizon, de leur permettre une meilleure appréciation des objets culturels et ainsi leur faciliter l'accès à des expériences esthétiques nouvelles ou renouvelées. Tout ceci fait toujours partie du mandat de nombreuses radios publiques européennes, par exemple en France, en Angleterre et en Suisse romande. Tandis qu'en France la radio publique connaît un franc succès avec des émissions où des *spécialistes* (j'insiste sur le mot[21]) abordent des questions d'interprétation, des comparaisons discographiques, des dossiers longs et fouillés consacrés à un compositeur ou un interprète choisi, la radio canadienne a effectué un nivellement par le bas.

La radio publique canadienne de langue française s'adressera désormais à un auditoire canadien, inclusif, multiculturel, dont les références et valeurs culturelles ne doivent pas être cherchées dans la tradition humaniste européenne,

21. Entendre par « spécialistes » des personnes pouvant tenir un discours cohérent et intéressant sur les œuvres, et non transmettre de simples *impressions*, comme c'est le cas de la plupart des « passionnés » dont parlait Christiane Leblanc.

JEAN BOIVIN

99

véhiculées naguère par le fameux cours classique et auxquelles Radio-Canada a fait écho pendant plusieurs décennies. Comme me le soulignait Mireille Gagné, directrice du Centre de musique canadienne à Montréal, c'est hélas à l'usage que les effets négatifs de cette « distillation continue de la diffusion musicale [qui] pénètre les corps et les esprits », ce « no man's land musical, sans saveur, sans odeur et sans passion », se feront sentir si jamais on revenait à une programmation plus consistante ; il sera alors plus difficile de contre-carrer cette détérioration de ce qu'on appelle généralement la culture générale[22]. D'ailleurs maints auditeurs déclarent avoir abandonné le fort, les musiciens et les mélomanes convaincus ayant été les premiers à déserter.

22. Courriel à l'auteur, le 29 novembre 2005.

> Je suis déçue du peu de respect des auditeurs, de l'inconscience de ce que la culture signifie pour une société et un pays qui cherchent leur identité. [...] C'est une insulte à l'intelligence et à la sensibilité des gens aspirants à autre chose que les inepties de commentateurs invités (improvisés) dont le métier n'a rien à voir avec la communication à la radio, sans parler de leur compétence concernant les sujets qu'ils traitent. La dégringolade est étourdissante. (Dujka Smoje, musicologue)

La nouvelle réalité musicale

Essayons de voir les choses d'un angle plus large. Certes, l'espace (sans jeu de mot) réservé à la musique dans nos vies s'est considérablement modifié depuis les années 1980, pour choisir un moment où la radio canadienne excellait, à mon avis, dans l'accomplissement de son mandat. De nos jours, on peut écouter sa propre sélection de disques compacts dans la voiture, dans son baladeur, sur son ordinateur portable. On peut télécharger des montagnes de pièces musicales à l'aide de logiciels et échanger des fichiers sonores et visuels sur Internet. Le populaire *iPod* permet de transporter l'essentiel de sa discothèque accroché à sa ceinture. La radio numérique permet d'écouter ou de télécharger des émissions diffusées à Radio-France ou ailleurs dans le monde. L'offre s'est multipliée, et la tendance est à la spécialisation de plus en plus marquée des différentes chaînes. En découle un nouveau paradoxe : en optant pour un éclectisme forcé, la Société Radio-Canada nagerait-elle à contre-courant ?

Dans ce contexte global, les changements qui se produisent dans le milieu radiophonique apparaissent peut-être inévitables. À chacun dorénavant de combler les vides, de procéder à ses propres explorations, de sonder en solitaire les archives que sont les enregistrements dits « historiques », de tenter d'élargir ses horizons musicaux (en particulier vers le XXᵉ siècle, qui recule pas à pas), de tenter de découvrir ce qui s'écrit aujourd'hui même. De *consommer*, en d'autres mots. Mais il y a un hic : cette masse de documents n'est pas accessible à tous. Les disques, il faut les acheter, à défaut de pouvoir les emprunter ou les échanger. Qui souhaite télécharger des émissions culturelles de qualité produites par les radios européennes, par exemple, devra posséder l'équipement approprié : ligne Internet à haute vitesse et ordinateur dernier cri, muni des logiciels les plus performants. Et on ose nous parler d'élitisme à combattre...

Pour les moins nantis, pour tous ceux pour qui la radio musicale de Radio-Canada constituait une compagne quotidienne, chaleureuse et aisément accessible[23], que ce soit au travail, à la maison, en voiture ou à la campagne, la carence alimentaire n'en est que plus accusée. Le cerveau et l'âme peuvent-ils maigrir ? Sans être pessimiste à outrance, il est permis de le craindre.

Et la musique contemporaine ?

Une question se pose, qui touche plus directement les lecteurs de *Circuit*. En quoi cette nouvelle situation affectera-t-elle les mélomanes et musiciens intéressés plus particulièrement par la musique dite « contemporaine » ? Plus qu'aucune autre sans doute, les musiques des XXe et XXIe siècles qui s'inscrivent dans le vaste courant de la modernité (et de la postmodernité) appellent, pour être comprises et appréciées, une démarche de contextualisation, des présentations sensibles et éclairées, une fréquentation régulière, de bonnes conditions d'écoute. Qui plus est, le mandat de l'unique émission consacrée à la musique contemporaine se limite dorénavant à la diffusion de concerts enregistrés, complétée par quelques plages de disques. Peu ou pas d'entrevues avec les compositeurs ou les interprètes, ce qui permet de diffuser coup sur coup deux concerts dans la même émission. La concentration comporte ses avantages, mais combien d'auditeurs en profitent ?

Par ailleurs, le nombre forcément réduit d'auditeurs fidèles à une plage horaire aussi périphérique laisse craindre une future remise en question de la place encore accordée — sans enthousiasme apparent, mais mandat du CRTC oblige — aux musiques modernes et contemporaines. Un esprit versé dans les questions administratives s'interrogera probablement sur l'opportunité de dépenser ainsi l'argent des contribuables, pour un auditoire si limité, qui ne pourra que décroître. En effet, comment prévoit-on éduquer le public mélomane, et surtout un nouveau public, aux sonorités nouvelles si la plus large partie du vaste répertoire de la musique du XXe siècle a été évacuée de l'antenne ? Le problème de la relève se pose déjà pour divers organismes, même dans un centre de création aussi important que Montréal, où l'offre excède la demande[24]. Les concerts intéressants y abondent, mais pour combien de temps encore avant que le dynamisme du milieu, reconnu sur la scène internationale, ne s'émousse ? Hors des grands centres, la musique contemporaine a pour ainsi dire disparu de la programmation, en particulier là où aucune institution universitaire ne peut en assumer les risques. Et encore...[25]

23. On ne peut ajouter « gratuite », car ce service est financé à même les deniers publics (à raison de quelques sous par jour). On se rappellera que les chaînes de télévision spécialisées, comme ARTV, ne sont accessibles que par abonnement.

24. L'infime portion du temps d'antenne accordée à la musique de notre temps n'est malheureusement pas le fait de ce seul média : la télévision d'État — y compris Télé-Québec, sur le plan provincial — a depuis belle lurette abandonné cette partie de son mandat, alors que les journaux, même ceux qui s'adressent plus directement au lectorat éduqué (au Québec, *Le Devoir*, pour le nommer) ont également réduit au fil des ans l'espace accordé à la création musicale, qu'il s'agisse de la création récente, qui relève des « actualités », ou du « patrimoine » québécois ou canadien, carrément mis de côté, alors qu'on célèbre dans leurs pages régulièrement les anniversaires de grands hommes de lettres, cinéastes, artistes, etc. Le constat s'aggrave lorsqu'on se rend compte que même la télévision *payante* n'offre guère une programmation palpitante sur ce plan.

25. D'autres intervenants s'interrogent avec raison sur ce qu'il adviendra des précieuses archives sonores de Radio-Canada, cette mémoire collective si nécessaire lorsqu'une société est en quête d'identité et menacée de tous côtés par la globalisation culturelle. Continueront-elles d'être alimentées, de témoigner rétrospectivement mais efficacement du dynamisme de la vie musicale ? De nombreuses questions, soulevées ici ou par d'autres radiophiles déçus, demeurent pour le moment sans réponse.

Dès l'entrée en ondes de la nouvelle chaîne, plusieurs acteurs engagés sur la scène de la musique contemporaine québécoise se sont inquiétés d'une éventuelle diminution du nombre de concerts qui pourraient être enregistrés par la société d'État, et, par conséquent, de la réduction du soutien gouvernemental aux organismes de concerts, qui comptaient souvent sur les captations et surtout sur les coproductions pour boucler leur budget annuel, pour élaborer des projets originaux. La directrice générale d'Espace musique, dans l'entrevue déjà citée, affirme avoir rassuré les organismes et les gens du milieu musical en leur précisant que le « budget pour l'appui aux talents (captation de concerts, enregistrements, etc.) n'avait absolument pas [été] réduit » (Proulx, 2005, p. 16). Pourtant, il suffit d'écouter les concerts diffusés au cours des derniers mois pour se rendre compte, par exemple, que les secteurs des musiques dites « actuelles » et électroacoustiques se retrouvent carrément mis au rancart, en dépit du dynamisme d'organismes tels l'Ensemble Contemporain, le Festival International de Musique Actuelle de Victoriaville, Ambiances Magnétiques, Réseaux, Codes d'accès, etc.

La radio publique a longtemps joué un rôle de soutien de la création musicale. Choyés sont maintenant les ensembles qui ont accès à cette importante tribune de diffusion sur une base régulière. Il en découle pour les gestionnaires, créateurs et interprètes une situation qui peut se révéler inconfortable : comment critiquer à haute voix la main qui accepte encore de vous nourrir ? La contestation directe, dans ce cas comme dans d'autres, n'est sans doute pas à la portée de tous. Pour l'ensemble du milieu musical, la discrétion comporte cependant sa part de risque. *Qui ne dit mot consent*, comme le veut le proverbe.

Le triste constat auquel je me suis livré ici doit malheureusement être étendu à d'autres pays. Dans un courriel adressé à l'auteur, le réalisateur Mario Gauthier[26] en témoigne :

Cette tendance à l'évacuation du répertoire contemporain — et plus encore à celui de commande d'œuvres spécifiquement dédiées à la diffusion — fut et est encore en déclin partout, ou presque : France Culture a subi des amputations majeures, notamment du côté de *L'atelier de création radiophonique* ; France Musique a vu pour sa part sa programmation complètement chamboulée, et pas forcément pour le mieux, en particulier en ce qui touche cette catégorie de musique ; la BBC 3 s'est relevée [récemment] mais fut inerte pendant 10 ans ; en Autriche, où la tradition d'exploration médiatique est très forte, une émission phare comme *Kunstradio/Radiokunst* est constamment en péril ; à Berlin, grand centre de production de *Hörspiele* et d'art audio, les coupes et difficultés sont toutes aussi énormes et ne semblent que commencer ; en Italie, la seule émission de musique d'avant-garde et d'art radiophonique [à la radio d'état](*Audiobox*) a été fermée, il y a au moins huit ans. D'ailleurs, la fermeture de *L'espace du son* [émission consacrée aux musiques nouvelles, réalisée

26. Après avoir reçu une formation de musicologue, Mario Gauthier a œuvré plusieurs années au sein de la radio publique, et notamment en tant que réalisateur de 1988 à 2005. Le prix Opus « Événement médiatique de l'année » lui avait d'ailleurs été décerné par le Conseil québécois de la musique pour la saison 1999-2000 de L'espace du son, émission qui a depuis été retirée de la grille-horaire.

par Mario Gauthier], en 2001, a été justifiée par cette mouvance générale... Pour le directeur de l'époque, il fallait suivre la tendance[27].

27. Communication écrite à l'auteur, datée du 8 avril 2006.

Certains seront d'avis que la radio n'est plus le média idéal pour écouter — et apprécier à sa juste valeur — la musique moderne ou contemporaine. Que des solutions plus interactives doivent être proposées aux mélomanes et musiciens qui s'intéressent à ces répertoires[28]. Pour le moment, le concert demeure un lieu privilégié par ceux et celles qui habitent un grand centre urbain. Mais dès lors qu'on quitte cet environnement, la réalité est tout autre. Et même dans les villes réputées pour leur dynamisme culturel, les concerts voués au répertoire récent n'attirent plus un auditoire aussi nombreux qu'il y a quelques années à peine. Le choix d'activités culturelles disponibles d'un simple clic de souris ou grâce au cinéma maison encourage fortement le retrait dans l'univers privé et douillet de la résidence. Dans ce contexte, la radio spécialisée semble appelée à jouer un rôle de premier plan, notamment grâce à la diffusion par Internet. La Société Radio-Canada aurait-elle manqué sa chance?

28. [ndlr] Pour des descriptions de projets qui vont dans ce sens, voir les textes de Beaucage, Donin et Vinet dans ces pages.

Le (nouveau) rôle des radios publiques

Dans l'une des rares études récentes consacrées à la place de la musique classique à la radio, Sylvia L'Écuyer (2003) décrit bien le rôle crucial joué par les radios publiques dans le développement de la vie musicale de la seconde moitié du XXe siècle, plus particulièrement dans le domaine de la création (diffusion d'émissions spécialisées et de concerts en provenance de festivals prestigieux, ensembles en résidence voués au répertoire contemporain, concours destinés aux jeunes interprètes, tribunes internationales comme celle de l'UNESCO, etc.). Durant les années 1950, alors que se creuse,

> au concert comme à la radio, le fossé entre la musique populaire et la « musique de concert », la radio publique, à cette époque du moins, se soucie peu de l'attrait commercial de sa programmation. Elle se soucie plutôt de procurer aux compositeurs des moyens qui n'existaient pas auparavant tant du point de vue de la qualité de l'enregistrement et du montage que de celui de l'élaboration d'un nouveau vocabulaire musical. (L'Écuyer, 2003, p. 966)

Le soutien concret de la société Radio-Canada à la création musicale est un fait reconnu par les historiens[29] et, dans de nombreux pays, l'intervention concrète des radios publiques a entraîné le développement d'un nouveau type d'œuvres musicales : les œuvres spécifiquement radiophoniques (*ibid.*, p. 966). Après 1960, et « bien qu'elle soit devenue plus souvent un média d'accompagnement, la radio continue pourtant de jouer un rôle considérable dans l'éducation du public, dans l'évolution du langage musical et, plus tard, dans la globalisation de la culture » (*ibid.*, 2003, p. 956).

29. Lire par exemple Kellogg, 1988, et les articles consacrés à la radiodiffusion ou à la Société Radio-Canada dans l'*Encyclopédie de la musique au Canada*, 2e éd., 1993. On pourra aussi consulter la contribution de Michel Filion (« La radio : organisation et institution ») au *Traité de la culture*, Denise Lemieux (éd.), IQRC, 2002, p. 799-814.

Sylvia L'Écuyer ne manque pas de souligner que l'univers radiophonique s'est remarquablement transformé depuis le début des années 1990, avec l'introduction progressive de nouvelles technologies, comme la radio numérique « à la carte » et la diffusion de nombreuses radios publiques sur Internet. Le mélomane fait face à une formidable explosion de l'offre médiatique, laquelle permet une diversité sans précédent et une hyper-spécialisation de l'offre, en même temps qu'elle contribue à contrer, du moins en partie, l'inévitable globalisation de la culture. En musique, cette globalisation se traduit évidemment par une domination de la culture musicale anglo-américaine (*ibid.*, p. 967).

On l'a dit, les canaux dédiés à un genre musical ou à une période donnée, accessibles par câblodiffusion ou par satellite, n'atteignent encore qu'un public assez restreint (bien nanti et débrouillard). Ces réseaux, qui diffusent souvent en continu, ne sont d'ailleurs pas détachés d'enjeux commerciaux ni des compagnies de disques qui les alimentent. Et L'Écuyer, qui parle en connaissance de cause, étant, au moment d'écrire ces lignes, une employée de la radio publique canadienne et ayant dirigé pendant quelques années la Chaîne culturelle, de conclure avec éloquence (elle écrit ces lignes en 2000, donc avant la « révolution » radio-canadienne dont il a été question dans ces pages) :

> C'est davantage au niveau de la production et de l'avant-garde, des domaines historiquement assumés par les radios publiques au cours des dernières décennies, que le danger d'uniformisation de la culture est le plus sensible. Les services essentiels qui s'adressent aux minorités culturelles, le soutien à la création, le développement des nouveaux talents, la préservation de la qualité en dehors des pressions commerciales du marché et, surtout, le maintien de stations généralistes de haut niveau ne seront assumées que par la radio publique qui doit continuer de recevoir un financement adéquat pour lui permettre d'assumer le leadership qui, seul, justifie sa raison d'être[30].

S'agit-il d'un avertissement, d'une prophétie ? L'avenir se trouve-t-il sur la Toile ? Bon nombre de radios publiques ou privées ont pris au cours des dernières années le « virage Internet », parfois avec imagination[31]. Une radio privée payante québécoise, largement consacrée aux musiques « modernes, contemporaines, électroacoustiques et nouvelles », opère depuis quelques mois (MTM Radio, Musique des temps modernes : <http://www.mtmradio.ca>), et touche déjà un auditoire hors des frontières canadiennes[32]. La diffusion se limite pour le moment aux enregistrements disponibles sur disque compact (ce qui est déjà très bien), mais il est permis de penser qu'une partie du mandat premier des radios publiques sera bientôt défendu par le secteur privé. La nature a horreur du vide, on le sait, et les naissances nouvelles atténuent la tristesse engendrée par les morts, silencieuses ou annoncées.

30. *Ibid.*, p. 967-968.

31. On pourra consulter par exemple la page <http://classicalwebcast.com/index.html> pour une liste de radios offrant différents services sur le Web en Europe, aux États-Unis et ailleurs dans le monde.

32. Une radio semblable, également sur abonnement, existe depuis 2003 aux États-Unis (<http://contemporary-classical.com>).

BIBLIOGRAPHIE

BÉRUBÉ, Stéphane (2005), « Sondages BBM, Progression fulgurante du 98,5 FM, chute de CKAC et CKOI », *La Presse*, 6 décembre.

BOIVIN, Jean *et al.* (2002), « Pour que cesse le déclin musical de la radio d'État », *Le Devoir*, 15 avril (article paru dans *La Tribune* de Sherbrooke le 15 avril, sous le titre « Radio-Canada doit retrouver sa mission musicale »).

CAUCHON, Paul (2004), « Sondage BBM radio. Paul Arcand retrouve la première place... avant de quitter CKAC ». *Le Devoir*, 27 mai (version électronique).

CAUCHON, Paul (2005), « Radio-Canada. Le Mouvement pour une radio culturelle dépose une plainte au CRTC », *Le Devoir*, 3 février (version électronique).

COLPRON, Suxanne (1998), « Une rentrée qui ne passe pas inaperçue », *La Presse*, 19 septembre (version électronique).

CÔTÉ, Émilie (2005), « Sondage BBM radio. Rythme FM garde la tête », *La Presse*, 11 août (version électronique).

FILION, Michel (2002), « La radio : organisation et institution » dans *Traité de la culture*, Denise Lemieux (éd.), Québec, Éditions de l'IQRC, p. 799-814.

KALMANN, Helmut, Gilles POTVIN et Kenneth WINTERS (éd.) (1993), *Encyclopédie de la musique au Canada*, 3 vol., 2ᵉ éd. rév., Montréal, Fides ; 1ʳᵉ éd, 1983, <www.collectionscanada.ca/4/17/index-f.html>.

KELLOGG, Patricia (1988), « Sounds in the Wilderness : Fifty years of CBC Commissions », *in Musical Canada*, John Beckwith et Frederick A. Hall (éd.), Toronto, University of Toronto Press, p. 230-259.

L'ÉCUYER, Sylvia (2003), « La musique classique à la radio », dans *Musiques. Une encyclopédie pour le XXIᵉ siècle*, Jean-Jacques Nattiez (éd.), vol. 1, *Le vingtième siècle*, p. 954-968.

MASSÉ, Isabelle (2004), « Le changement de format sourit à Radio-Canada », *Le Soleil*, 16 décembre (version électronique).

PROULX, Steve (2003), « Le jeu de la chaîne musicale... », entrevue avec Christiane Leblanc, *Voir*, vol. 19, n° 37, 15 septembre.

TRUFFAUT, Serge (2005), « Jazz à rabais. Les rééditions s'amplifient au fur et à mesure que les compositions tombent dans le domaine public », *Le Devoir*, 5 et 6 novembre (version électronique).

VARIN, Manon (2006), « Les BBM radio de Montréal », *InfoPresse*, 11 avril, <www.infopresse.com/article.aspx?id=17146>.

WITMER, Glenn Edward (éd.) (1986), *50 ans de Radio*, Montréal, Les entreprises Radio-Canada.

Jean-François Denis

Robert Normandeau

Gilles Gobeil

Francis Dhomont

Portrait de Réseaux des arts médiatiques

par Réjean Beaucage

Quinze ans d'existence, pour une société de concerts, ce n'est pas mal. Et quand elle fait la promotion d'une musique réputée difficile, c'est même très bien. Rétrospective en forme de coup de chapeau pour la société de concerts Réseaux, qui passe ce cap cette année.

*

*   *

Si la musique concrète naît à Paris en 1948 et que fleurissent ensuite un peu partout en Europe des studios de musique électroacoustique, ce n'est qu'en 1964 qu'apparaît à Montréal, et au Québec, le premier studio institutionnel de ce genre[1]. Il se nomme Electronic Music Studio (EMS) et est installé à l'Université McGill grâce aux démarches effectuées par le compositeur István Anhalt. Suivront ensuite l'Université Laval à Québec, avec le premier studio francophone (1969), puis l'Université Concordia (1971), l'Université de Montréal, qui équipe à partir de 1974 le secteur électroacoustique de sa faculté de musique et, enfin, les Conservatoires de musique de Québec (1978) et de Montréal (1979)[2]. On pouvait composer de la musique électroacoustique dans ces studios, ou apprendre à le faire. Mais il fallait aussi pouvoir la faire entendre au public en dehors des concerts donnés dans les institutions d'enseignement.

C'est la raison qui poussa en 1978 Yves Daoust, Marcelle Deschênes, Philippe Ménard, Michel Longtin et Pierre Trochu à fonder un regroupement de compositeurs dont le but était de favoriser le développement de la musique électroacoustique aux côtés des autres formes de musique contemporaine. Ainsi naquit l'Association pour la recherche et la création électroacoustiques du Québec (ACREQ), premier organisme canadien entièrement consacré au développement de cette musique. D'autres organismes appuieront bientôt l'ACREQ dans sa démarche, comme Les Événements du Neuf (1978 aussi), où sont présentés à l'occasion des concerts électroacoustiques entre les concerts instrumentaux, ou le Group of the Electronic Music Studio (GEMS), fondé à McGill par alcides lanza, John Oliver et Claude Schryer en 1983. Dans les différents organismes comme à l'ACREQ, la programmation se diversifiera au fil du temps. Le terme *électroacoustique* ne servira bientôt plus exclusivement à désigner la diffusion de pièces sur bande, comme ce pouvait être le cas auparavant, mais en viendra de plus en plus à désigner les différentes formes de musiques mixtes (instrumentale avec bande ou traitements en temps réel). Bref, les programmations de concert se diversifient afin de rendre compte de la multiplicité des nouvelles approches compositionnelles qu'offrent les développements techniques et cela se fait au détriment de la musique sur bande[3]. En 1993, le compositeur Alain Thibault prend la direction artistique de l'ACREQ à la suite de Claude Schryer et fait connaître son intention de « ramener les humains sur la scène ». Il le fera avec beaucoup de succès en produisant cette année-là l'ensemble Dangerous Kitchen, qui réunit 10 instrumentistes sous la direction de Walter Boudreau pour interpréter des œuvres du compositeur américain Frank Zappa.

Au début des années 1990, trois compositeurs intéressés principalement par la musique sur support et, plus précisément, par la musique acousmatique[4], choisissent de fonder un organisme voué exclusivement à ce type de musique. Ce sont Jean-François Denis, Gilles Gobeil et Robert Normandeau, et l'organisme en question prend le nom de *Réseaux des arts médiatiques* (mieux connu sous l'abréviation *Réseaux*). Ils décident d'inaugurer l'organisme le 2 novembre 1991 en saluant un compositeur qui en a inspiré bien d'autres par son travail et son enseignement, mais dont les œuvres restent difficiles à trouver. Difficiles à trouver ? Pas pour longtemps ! Jean-François Denis a produit le premier disque de l'étiquette qu'il a fondée avec le compositeur Claude Schryer, Empreintes DIGITALes, en janvier 1990. Le concert inaugural sera donc un concert-lancement.

Le concert est intitulé « Top secret » et le compositeur Francis Dhomont est invité à y diffuser une de ses pièces. Lorsqu'il se présente à la soirée, c'est pour s'apercevoir que tout le concert lui est consacré et que le disque lancé est un album double accompagné d'un magnifique livret rempli de témoignages de ses amis qui le saluent pour son 65e anniversaire ! Personne n'aura vendu la mèche et ce concert-lancement reste sans doute aujourd'hui dans les annales des surprises-parties les plus réussies ! Le double CD paru à cette occasion[5] est aujourd'hui épuisé, mais chacun des disques a été réédité séparément par Empreintes DIGITALes.

En 1992, à l'occasion du 350e anniversaire de Montréal, Réseaux présente, entre le 19 mai et le 7 octobre, neuf soirées de concert au Planétarium de Montréal, un lieu que Robert Normandeau connaît bien puisqu'il y organise régulièrement depuis 1986 la série de concerts *Clair de terre*, produite par l'ACREQ. À cette occasion, il présente son œuvre *Tangram*, un titre qui sera celui de son premier disque, à paraître chez Empreintes DIGITALes, en 1994. Toujours en mai 1992, le 29, Réseaux participe à l'inauguration de la 5e salle de la Place des arts avec une autre prestation de Robert Normandeau qui diffuse pour l'occasion en création la pièce *Fragments*, une œuvre qui n'a pas à ce jour trouvé le chemin du disque.

C'est en février 1996 que Réseaux réalise une première collaboration internationale en participant à l'événement Québec-Belgique organisé par Codes d'accès (autrefois la Société des concerts alternatifs du Québec, ou SCAQ) et l'organisme belge Musiques & Recherches. L'événement s'étend sur plusieurs jours et deux soirées sont consacrées à la diffusion de musique acousmatique. On y découvre avec plaisir un panorama de compositeurs belges et québécois connus et moins connus. Les réseaux se construisent…

Une deuxième collaboration du même type sera établie en 2002 lors de l'événement *Voyages : Dublin-Montréal*, qui présentait bien entendu un programme d'œuvres irlandaises et québécoises. Il s'agissait d'une collaboration avec l'organisme Concerts M.

C'est en 1997 que débute l'aventure Rien à voir. L'expression populaire choisie comme titre à la série de concerts ne pourrait être plus exacte : en effet, au concert acousmatique, on laisse le minimum d'éclairage afin de permettre à l'auditeur de se placer en situation d'« écoute extrême » et… il n'y a rien à voir[6]. C'est cette série de concerts qui mettra vraiment Réseaux sur la carte des organismes qui comptent en musique contemporaine à Montréal. Organisés au rythme de deux par année, les concerts Rien à voir permettent un accès direct à des compositeurs qu'aucun autre organisateur ne songerait malheureusement à présenter au public montréalais. On pourrait sans doute, avec un peu de chance, assister de temps à autre à des concerts des compositeurs d'ici, mais Réseaux a mis l'accent sur ceux qui viennent d'ailleurs, non pas par soumission à une quelconque forme de colonialisme culturel, mais plutôt dans un but pédagogique. L'histoire de l'électroacoustique n'étant pas encore très longue (on fêtait en 1998 son cinquantenaire), Réseaux a pu présenter parmi ses invités des chercheurs qui furent de véritables pionniers de l'histoire de la musique et à qui le XXe siècle doit beaucoup. On pense à la branche française, bien sûr, avec les François Bayle, Michel Chion, Luc Ferrari, Bernard Parmegiani ou Jean-Claude Risset. Mais il y a aussi tous ceux que les moins fervents d'entre nous auront découvert là, les Jon Appleton (Américain), Beatriz Ferreyra (Argentine), Åke Parmerud (Suèdois), Jonty Harrison (Anglais) ou Annette Vande Gorne (Belge), etc. Ces compositeurs sont presque toujours invités à participer à diverses activités universitaires (conférences, classes de maître) et présentent également des ateliers de diffusion[7].

Compositeurs ayant participé à la série de concerts Rien à voir :

Randall Smith (CA) – Jonty Harrison (RU) – Yves Daoust (QC) – Michel Chion (FR)

Ned Bouhalassa (QC) – Åke Parmerud (SE) – Jon Appleton (EU) – Luc Ferrari (FR)

Mark Wingate (EU) – Christian Calon (QC) – Annette Vande Gorne (B) – Bernard Parmegiani (FR)

Stéphane Roy (QC) – Erik Michael Karlsson (SE) – Ludger Brümmer (ALL) – François Bayle (FR)

Monique Jean (QC) – Christian Zanési (FR) – Paul Dolden (QC) – Francis Dhomont (FR/QC)

Marc Tremblay (QC) – Jens Hedman et Paulina Sundin (SE) – Robert Normandeau (QC) – Denis Smalley (RU)

Louis Dufort (QC) – John Oswald (CA) – Natasha Barrett (Norv/RU) – Jean-Claude Risset (FR)

Chantal Laplante (QC)

Adrian Moore (RU) – Régis Renouard Larivière (FR) – Gilles Gobeil (QC) – Beatriz Ferreyra (AR/FR)

Jacques Tremblay (QC) – Hans Tutschku (ALL) – John Young (NZ) – Francis Dhomont (FR/QC)

Ingrid Drese (BE) + Stephan Dunkelman (BE) – Jonty Harrison (RU) – Bernard Parmegiani (FR)

Wayne Siegel (EU/DK) – Flô Menezes (BR) – Elainie Lillios (EU) – Robert Normandeau (QC)

François Donato (FR) – Alistair MacDonald (ÉCOSSE) – Stéphane Roy (QC) – Åke Parmerud (SE)

Gilles Gobeil (QC) et René Lussier (QC) – Luigi Ceccarelli (IT) – Bernard Fort (FR) – Ricardo Dal Farra (AR)

Randall Smith (CA) – Hildegard Westerkamp (CA) – Andrew Lewis (RU) – Yves Daoust (QC).

Réseaux n'a laissé sortir qu'une seule fois le concept de soirées Rien à voir hors de sa programmation régulière. Ce fut à l'occasion d'une autre collaboration avec un organisme de Montréal, Les Productions Supermémé/ Supermusique, durant un événement qui s'étalait sur trois semaines en octobre et novembre 2000. Hommage à la création des femmes au xxᵉ siècle, l'événement Super*MicMac* (pour Musiciennes Innovatrices Canadiennes — Musiques Actuelle et Contemporaine) consacrait deux soirées à la diffusion d'œuvres acousmatiques de compositrices canadiennes. Cette série de concerts Rien à voir (8) nous a permis d'entendre des œuvres de pionnières de l'électroacoustique au Québec comme Micheline Coulombe Saint-Marcoux ou Marcelle Deschênes, mais aussi des œuvres de jeunes compositrices, choisies par Chantal Laplante, programmatrice invitée. L'événement Super*MicMac* a reçu le prix Opus du Conseil québécois de la musique dans la catégorie Événement musical de l'année.

Dès le début de la série des Rien à voir, Denis, Gobeil et Normandeau se sont trouvés devant un sérieux problème de logistique. Une telle série de concerts, tenue en des lieux peu adaptés (le Théâtre La Chapelle, pour les cinq premières éditions) requérait une solide équipe technique afin d'être menée à bien[8] et ils décidèrent d'embaucher des étudiants en électroacoustique pour le faire. Ces derniers sont bien entendu payés pour leurs services, passent leurs journées en compagnie de grands compositeurs dont certains font de la diffusion depuis une quarantaine d'années et, en prime, on leur offre un concert afin que chacun d'eux puisse diffuser l'une de ses pièces. Les techniciens qui firent un succès de la première édition de Rien à voir (Pierre Alexandre Tremblay, Nicolas Boucher, Éric Rocheleau, Alain Gauthier, Louis Dufort) ont tous poursuivi la carrière de compositeur[9].

Depuis la dixième édition de Rien à voir, les fondateurs de *Réseaux* ont voulu prendre en compte l'évolu-tion parallèle d'une musique *techno* qui est souvent le fruit de compositeurs autodidactes qui se réclament de l'héritage de Pierre Schaeffer et consorts. Il y eut des concerts Post-rien et Pré-rien, chaque fois à la Casa del Popolo, située boulevard Saint-Laurent à Montréal, en face de l'Espace Go, où étaient donnés les Rien à voir. Ce rapprochement indique bien l'antisectarisme de l'organisme et son ouverture face aux nouvelles façons de concevoir la musique électroacoustique.

Bien que les trois fondateurs de *Réseaux* aient choisi de se donner le mandat spécifique de « se consacrer principalement à l'art acousmatique, genre musical sur support (bande magnétique, disquette, etc.) présenté sur un orchestre de haut-parleurs[10] », ils ne sont pas dogmatiques au point de s'interdire toute incursion dans des domaines musicaux connexes[11]. Ainsi, en mai 1998, *Réseaux* présente un concert de musique mixte au Festival International de Musique Actuelle de Victoriaville (FIMAV). Le guitariste d'origine colombienne Arturo Parra est sur la scène et interagit avec un enregistrement. Chaque pièce a été composée pour que la partie sur support puisse se suffire à elle-même, mais lors du concert le guitariste y ajoute bien entendu sa touche personnelle. Le concert sera repris en novembre au Théâtre La Chapelle, à Montréal, avec une pièce supplémentaire offerte par un compatriote de Parra, Mauricio Bejarano[12].

Réseaux continuera à étendre ses contacts en produisant en 1999 l'exact contraire de *Rien à voir*, soit *Plein la vue*, un concert de musique mixte qui donnera en effet à voir le guitariste René Lussier, dans un *work in progress* composée avec Gilles Gobeil : *Le contrat*. Ce concert offrira également une très rare occasion d'entendre une œuvre du regretté compositeur français Luc Ferrari, soit l'obsédante *Cellule 75 Force du rythme et cadence forcée*, interprétée par le pianiste Jacques Drouin et le percussionniste Julien Grégoire. Drouin interprétera aussi les *Figures de rhétorique* de Robert Normandeau.

La musique mixte, on en convient, en raison des musiciens sur scène, n'est pas acousmatique. Elle offre néanmoins au compositeur de musique électroacoustique — à condition de pas être monomaniaque — des plaisirs certains. C'est pourquoi Réseaux poursuivra dans cette optique en 2001 avec un concert intitulé… *Flûte ! un concert…* Sur scène, cette fois, apparaît la flûtiste Claire Marchand qui accompagne la bande (ou est-ce le contraire ?).

Cette approche culminera en février 2002 par une association avec le Nouvel Ensemble Moderne pour lancer *MusMix*, la Tribune canadienne de musiques mixtes, événement qui se veut biennal et qui permet aux deux organismes de présenter un répertoire malheureusement trop négligé, celui pour ensemble et bande, et ce, dans des conditions optimums.

En 2001, Robert Normandeau rédige à la demande du Conseil des Arts du Canada une étude intitulée *Situation de l'électroacoustique au Canada* ; bien qu'il puisse sembler réjouissant à un habitant de Montréal, ville historiquement très active en matière de musique électroacoustique, le portrait n'est pas rose et Normandeau démontre, par exemple, que l'aide financière accordée au développement de ce secteur est dérisoire en comparaison des budgets disponibles en musique (en 1999-2000, le Conseil des arts et des lettres du Québec [CALQ] consacre 0,3 de 1 % de son budget «musique» aux deux organismes voués au développement de la musique électroacoustique au Québec — l'ACREQ et Réseaux — tandis que l'auteur estime la part du Conseil des Arts du Canada [CAC] dévolue à l'électroacoustique à 0,7 de 1 % de son budget consacré à la musique).

Quelques jours avant de présenter Rien à voir (13), soit les 2, 3 et 8 mars 2003, Réseaux produisait dans le cadre du Festival international Montréal/Nouvelles Musiques (MNM) un concert de musique mixte (du compositeur Yves Daoust), un concert acousmatique (avec les compositeurs Ned Bouhalassa, Francis Dhomont, Alain Gauthier, Monique Jean et Marc Tremblay) et coproduisait le concert de la 15e édition du Concours national des jeunes compositeurs de Radio-Canada (où furent entendues des œuvres de Félix Boisvert, Jean-Michel Robert, Jacques Tremblay et Louis Trottier). Réseaux participait aussi à la deuxième édition de MNM en 2005 en invitant les compositeurs français François Bayle et Bernard Parmegiani et en offrant à Gilles Gobeil la possibilité de faire entendre ses œuvres mixtes avec ondes Martenot (Suzanne Binet-Audet, ondiste). C'est pendant MNM, le 3 mars 2003, que Réseaux lançait les *iConcerts*, une formule utilisant les ressources de l'Internet pour rendre disponibles par téléchargement les 17 œuvres commandées à autant de compositeurs depuis la fondation de la société. Les œuvres seront programmées dans six concerts imaginaires, dévoilés à un rythme mensuel (les œuvres sont toujours en ligne sur le site de Réseaux : <www.rien.qc.ca>).

Après la 15e édition de *Rien à voir*, les animateurs de Réseaux ont senti le besoin de renouveler la formule... par un retour aux sources, puisque la série *Pulsar*, présentée deux fois — d'abord avec des œuvres de Robert Normandeau, puis du français Jean-Claude Éloy — nous ramenait au Planétarium de Montréal.

Essoufflement du public ? Effritement de la pertinence de la proposition acousmatique ? Les temps sont petit à petit devenus plus difficiles pour le type de concerts que présentait Réseaux, et les animateurs de la société de concerts ont imaginé une autre série de concerts : *Akousma*, qui, contrairement à ce que son titre semble indiquer, ne présente pas que de la musique acousmatique, mais tout l'éventail électro-acoustique, de l'installation au spectacle danse-musique et de la musique mixte à la vidéomusique, en passant, bien entendu, par l'acousmatique. La première édition d'*Akousma* s'est tenue en janvier 2005 et la deuxième, en décembre de la même année.

En juin 2006, Réseaux, après avoir souvent plongé son public dans la pénombre acousmatique, le plongeait carrément dans l'eau pour les concerts *sub•a•quat•ic*, présentés par le duo montréalais Milliseconde topographie (Nicolas Bernier et Delphine Measroch). Il s'agissait d'une *installation submersible* dont le public pouvait faire l'expérience en s'immergeant littéralement dans la piscine du Centre sportif de l'Université du Québec à Montréal.

Au moment de célébrer son 15e anniversaire, en novembre 2006, Réseaux bouclera la boucle par une soirée consacrée, comme sa toute première, au compositeur Francis Dhomont, dont on célébrera alors le 80e anniversaire. Le bilan qu'affichera l'organisme à ce moment-là nous semble pour le moins méritoire, tant pour son apport indiscutable au développement d'une nouvelle génération d'électroacousticiens que pour la persévérance de ses animateurs à défendre l'existence d'un art qui, plus de 50 ans après sa naissance, reste confiné à la marginalité.

BIBLIOGRAPHIE

BASQUE, Nicole (2000), « Évolution de la musique électroacoustique à Montréal », *eContact*, vol. 3.3, <http://cec.concordia.ca/econtact/Histories/EvolutionMontreal.htm>.

BAYLE, François (1993), *Musique acousmatique, propositions... positions*, Paris, Buchet/Chastel-INA-GRM.

DHOMONT, Francis (1991), « Acousmatique, qu'est-ce à dire ? », <http://www.electrocd.com/cat.f/imed_9607.not.html#imed_9607-0002>.

DHOMONT, Francis (1995), « Rappels acousmatiques », *eContact*, vol. 8.2, <http://cec.concordia.ca/contact/contact82Dhom.html>.

NATTIEZ, Jean-Jacques (éd.) (1993), *Circuit : musiques contemporaines*, vol. 4, n° 1-2, *Électroacoustique-Québec : l'essor*.

NORMANDEAU, Robert (2001), *Situation de l'électroacoustique au Canada*, <http://cec.concordia.ca/econtact/Profile/SituationElectroacoustique.htm>.

NOTES

1. Pour un historique détaillé du développement de l'électroacoustique au Québec, se référer à Nattiez (éd.), 1993 ; également, la revue électronique de la Communauté électroacoustique canadienne *eContact*, qui présente de nombreux textes intéressants parmi lesquels Basque 2000.

2. Une première brèche avait été ouverte en 1971 à Montréal par Micheline Coulombe Saint-Marcoux, Otto Joachim et Gilles Tremblay, mais le studio fut fermé en 1974 avant d'être rouvert en 1979 par Yves Daoust.

3. En 1987, avec l'apparition du Digital Audio Tape (DAT), se répand l'expression « musique sur support », encore plus courante aujourd'hui que l'on peut transférer la musique aisément sur CD, mini-disc ou même disque dur.

4. « […] vers 1974, pour marquer la différence et éviter toute confusion avec les musiques électroacoustiques de scène ou

d'instruments transformés (ondes Martenot, guitares électriques, synthétiseurs, systèmes audionumériques en temps réel...), François Bayle [ndlr : en 1993] introduit l'expression musique acousmatique comme spécifique d'une musique d'images qui «se tourne, se développe en studio, se projette en salle, comme le cinéma», en temps différé. «À l'usage, écrit-il, ce terme de prime abord sévère, à la fois critiqué et adopté, se trouve maintenant assoupli par une pratique usuelle parmi les communautés de compositeurs pour désigner quasi naturellement ce qui distingue entre toutes les techniques musicales actuelles, celles-là mêmes qui relèvent proprement du support sonore, d'esthétiques aussi variées soient-elles» (Dhomont, 1995).

5. *Mouvances~Métaphores*, IMED 9107/08, réédité sous IMED 9607 et IMED 9608.

6. «Le mot acousmatique revient souvent dans les textes qu'on peut lire ici. Mais que veut-il dire ? Ce terme est attribué à Pythagore (VIe siècle avant JC) qui dispensait, dit-on, son enseignement — uniquement oral — dissimulé derrière une tenture afin que ses disciples ne soient pas distraits par sa présence physique et puissent concentrer leur attention sur le seul contenu de son message. Plus près de nous, au début du siècle, on trouve encore dans Le Larousse pour tous en deux volumes : "*Acousmate*. n. m. (du grec *Akousma*, ce qu'on entend). Bruit imaginaire ou dont on ne voit pas les causes, l'auteur."» (Dhomont, 1991)

7. La plupart des compositeurs invités à participer aux Rien à voir 1, 2, 3, 4, 5, 7, 9 et 12 ont aussi eu la bonne grâce de se prêter à des entrevues devant public juste avant leur concert. Ces entrevues étaient humblement menées par l'auteur de ces lignes.

8. Une qualité sonore plus qu'acceptable, mais nécessitant un dispositif encombrant. D'une manière générale, le compositeur diffuse sa pièce depuis un lecteur de disque compact à peu près standard. Le signal (stéréo) est distribué sur une vingtaine de canaux sur la console de mixage (par exemple, 10 pour le côté gauche, 10 pour le côté droit). Chacun de ces canaux est relié à un amplificateur, lui-même, évidemment, relié à un haut-parleur.

9. Louis Dufort s'est d'ailleurs vu confier une soirée complète lors de Rien à voir (7).

10. Tel qu'il est décrit par l'organisme, dans la liste des membres du Conseil québécois de la musique.

11. Avant d'être spécifique, la description de l'organisme est, prudemment, générale : Son mandat principal est de diffuser sur la place publique le travail accompli par les artistes et les groupes de production en arts médiatiques. Ses outils de promotion sont les concerts, les bases de données, les livres ou toute autre forme de support qui permet aux œuvres de vivre sur scène et aux écrits d'être diffusés.

12. Ces pièces sont disponibles depuis avril 2002 sur le disque *Parr(A)cousmatique*, paru, évidemment, chez *Empreintes DIGITALes* (IMED 0264).

Splendeurs de l'existence (2006, acrylique, encre de Chine, pastel gras sur papier, 30" X

Quelques éléments biographiques des fondateurs de Réseaux

PAR RÉJEAN BEAUCAGE

Robert Normandeau (1955, Québec)

Premier récipiendaire d'un doctorat (1992) en composition électroacoustique de l'Université de Montréal (sous la direction de Marcelle Deschênes et Francis Dhomont), Robert Normandeau est de ceux qui ont largement contribué à ce que l'on puisse parler aujourd'hui d'une «école québécoise» d'électroacoustique, sa musique s'étant distinguée à de nombreuses reprises dans les plus grands festivals et concours internationaux. Membre de l'ACREQ de 1986 à 1993, il y a produit la série de concerts Clair de terre, donnée au Planétarium de Montréal. *Clair de terre* est aussi le titre de son plus récent disque, le quatrième paru chez Empreintes DIGITALes. Il compte parmi les fondateurs de la Communauté électroacoustique canadienne (CEC) en 1986, un organisme qui venait combler le besoin des compositeurs de se regrouper.

Compositeur très actif, il s'est vu remettre en 1999 le prix Opus du Conseil québécois de la musique dans la catégorie compositeur de l'année. Son travail, du côté de la musique de concert, s'inscrit dans l'optique d'un *cinéma pour l'oreille*. Ces dernières années, il a produit plusieurs musiques pour le théâtre.

Gilles Gobeil (1954, Sorel)

Son premier disque paraît la même année que celui de Robert Normandeau et, comme lui, il a complété une maîtrise en composition à l'Université de Montréal et reçu de très nombreuses distinctions internationales, mais là s'arrêtent les similitudes entre ces deux artistes aux esthétiques bien différentes. Gobeil ne dédaigne pas la musique mixte et compte de ce côté quelques réalisations qui sont autant de réussites (voir son travail avec l'ondiste Suzanne Binet-Audet ou avec le guitariste René Lussier). Il a d'ailleurs composé en collaboration avec Lussier la pièce *Le contrat*, basée sur le mythe de Faust ; un tour de force compositionnel à l'intérieur duquel chacun des compositeurs réussit à conserver son âme. Le style de Gilles Gobeil, très personnel, est assez noir et d'une véhémence qui contraste totalement avec la personnalité calme et posée du compositeur. Son univers musical est peuplé de sonorités biomécaniques et industrielles qui stimulent l'imagination de l'auditeur, tant ce monde futuriste offre peu de références. Sa musique se caractérise en outre par une très grande maîtrise des outils de manipulation du son, rendue avec une présence peu commune. Lors de la remise des prix Opus 2004-2005 du Conseil québécois de la musique, son disque *Trilogie d'ondes* (Empreintes DIGITALes) était nommé « Disque de l'année — musiques actuelle, électroacoustique ».

Jean-François Denis (1960, Montréal)

Infatigable promoteur de la musique électroacoustique, Jean-François Denis est détenteur d'une maîtrise en musique électronique du Mills College d'Oakland. Entre 1982 et 1990, il compose une trentaine d'œuvres instrumentales ou électroacoustiques. Parmi ces dernières, plusieurs sont interprétées en direct, seul ou en ensemble. Il enseigne l'électroacoustique à l'Université Concordia de 1985 à 1989 et y organise les séries de concerts du Groupe électroacoustique de Concordia (GEC). Membre fondateur et premier président de la Communauté électroacoustique canadienne, il y a dirigé de nombreuses publications. Sa carrière de compositeur s'estompe au début des années 1990 alors qu'il fonde avec Claude Shryer l'étiquette de disques *Empreintes DIGITALes* (premier lancement le 30 janvier 1990 avec un disque de Christian Calon). Par ce moyen, il contribue très largement à faire rayonner la musique des compositeurs d'ici à l'étranger, à la faire mieux connaître chez nous et à faire connaître au Québec celle des grands compositeurs d'ailleurs. Avec la maison de distribution DIFFUSION i MéDIA/electrocd.com, qu'il fonde simultanément, il donne une meilleure visibilité à de petites étiquettes de « musiques difficiles » et prend une place incontournable dans le marché du disque au Québec. *La Liste* (<www.laliste.qc.ca>), qu'il lance vers 1992, regroupe bon nombre des organismes culturels montréalais œuvrant en musiques contemporaine, électroacoustique et actuelle dans un effort d'organisation des horaires de concerts et d'information du public.

Ultime édition de Rien à voir

Entretien avec Francis Dhomont sur l'avenir acousmatique

PAR MAXIME MCKINLEY

C'était en février 2004. La société de concerts Réseaux des arts médiatiques avait annoncé que la quinzième édition de ses séries de concerts Rien à voir serait la dernière de ses productions à porter ce nom. Dans le texte de présentation des notes de programme, les organisateurs ont expliqué que

> lorsque nous avons démarré cette série de concerts en 1997, nous avions investi un créneau, celui des musiques acousmatiques, laissé vacant depuis plusieurs années sur la scène musicale montréalaise. On ne savait rien du succès potentiel de cette formule et notre idée n'était certes pas, à ce moment-là, de la reprendre saison après saison. Quinze éditions plus tard, après sept années d'existence, la série Rien à voir aligne des statistiques impressionnantes. […] Mais une série régulière, c'est aussi une formule qui finit avec les années par s'épuiser. Non pas que cette musique ne nous intéresse plus, bien au contraire, mais la formule actuelle ne convient plus à la diversité des pratiques musicales d'aujourd'hui. […] L'électro pour nous se conjugue désormais sous toutes ses déclinaisons — acousmatique, mixte, en direct, installation, etc. — et les lieux de représentation seront désormais aussi diversifiés que les pratiques elles-mêmes.

Le compositeur Francis Dhomont, un pionnier et l'un des théoriciens importants de l'art acousmatique, réagit dans l'entretien qui suit à la décision de Réseaux de mettre un terme à cette série, de même que sur la situation de l'acousmatique en général. Certes, Dhomont (né en 1926 à Paris) n'a pas manqué, tout au long de sa carrière, de s'exprimer pour défendre l'art acousmatique et l'héritage de Pierre Schaeffer. On ne sera donc pas surpris qu'il « regrette le choix fait par les responsables de Réseaux », bien qu'il maintienne tout à fait sa « confiance » et son « estime » envers le travail des animateurs de la société de concerts. Cette entrevue a été réalisée en juin 2004, par correspondance.

Maxime McKinley : Réseaux est l'un des principaux diffuseurs de musique acousmatique. Or, depuis quelque temps, la musique acousmatique ne semble plus être au cœur de sa programmation. Il se tourne de plus en plus vers la diffusion d'œuvres multidisciplinaires, d'installations, utilisant le direct, etc. Est-ce un signe que l'approche acousmatique (au sens classique ou, si l'on veut, au sens schaefferien) vit ses derniers moments de cristallisation, avant d'être reléguée définitivement à l'histoire ?

Francis Dhomont : C'est effectivement l'impression fausse et défaitiste que risque de donner cette décision. C'est, en tout cas, ce que s'empressent déjà d'en déduire les adversaires de la musique acousmatique. Pourtant, même si, en l'occurrence, je regrette le choix fait par les responsables de Réseaux, il ne fait aucun doute pour moi que c'est dans le but de renouveler et d'enrichir leurs programmes. Depuis dix ans, ils ont accompli un travail remarquable et se sont affirmés comme les seuls représentants authentiques en Amérique du Nord de l'art acousmatique. Robert Normandeau avait d'ailleurs pris les devants dès 1989 en réalisant pour l'ACREQ les concerts spatialisés du Planétarium de Montréal. Pour cela, ils sont connus et respectés internationalement. C'est précisément en raison de cet acquis incontesté qu'il me paraît inopportun de quitter la route aujourd'hui, à un moment où — dans le contexte montréalais — elle semble provisoirement plus étroite, pour s'engager dans une voie plus large mais déjà très fréquentée. Néanmoins je comprends leur point de vue et ils connaissent le mien. Et ils savent aussi l'estime que j'ai pour eux.

Alors, quand je dis « impression fausse et défaitiste » c'est que, si symptôme il y a d'un quelconque épuisement de l'approche acousmatique, il n'est ressenti qu'à Montréal, qui fut pourtant l'un des points forts de cette modalité électroacoustique. Car c'est loin d'être le cas général. On sait, notamment, que la création acousmatique est particulièrement vivante et bien représentée au Royaume-Uni. De son côté, la France, qui en est le berceau, connaît un regain très fort de concerts et de stages, comme en atteste l'intense activité de l'Association Motus, par exemple, qui organise plusieurs événements chaque mois en plus de « Futura », son festival international d'Art acousmatique annuel. Il faut noter aussi l'apparition de nouveaux festivals acousmatiques, tels « Licences » ou « Elektrophonie », qui viennent s'ajouter à ceux des nombreux centres plus anciens répartis sur tout le territoire. Certains plus prestigieux, comme ceux de Bourges ou du GRM de Paris, inscrivent chaque année une quantité importante d'œuvres acousmatiques à leurs programmes. En Belgique, Musiques & Recherches, dont le festival acousmatique international « L'espace du son » existe depuis 1984, offre maintenant des concerts mensuels à Bruxelles. En Allemagne, le secteur musicologique de l'Université de Cologne met depuis quelques années l'accent sur la production acousmatique, invite les principaux représentants de cette discipline à donner des concerts, publie des ouvrages et propose un symposium pour octobre 2004 ; le très solide ZKM Zentrum de Karlsruhe prépare actuellement un festival pour février 2005 ; le Luxembourg organise concerts et tables rondes en novembre prochain, etc. Ce sont quelques exemples parmi d'autres. Alors parler des « derniers moments » de la musique acousmatique avant son inhumation définitive dans l'Histoire ne paraît pas d'actualité et relève d'une approche lacunaire de la situation réelle.

Maxime McKinley : En 2003, Jean Piché a écrit : « Pour moi, la composition électroacoustique sur support a atteint son apogée entre 1990 et 1995 avec les œuvres de Francis Dhomont et de certains de ses collègues. Depuis ce temps, la pratique classique de l'électroacoustique retient difficilement mon attention[1]. » Croyez-vous que depuis 1995, ainsi que l'on pourrait interpréter ces propos de Jean Piché, la musique acousmatique est dans un état de stagnation?

Francis Dhomont : Il s'agit surtout, là encore, d'une opinion qui ne tient compte que du seul espace montréalais. L'approche acousmatique existait ailleurs bien avant la période que cite Jean Piché et, comme je crois l'avoir démontré plus haut, se poursuit bien après. Le phénomène acousmatique québécois, pour important qu'il soit, n'est qu'un chapitre d'une histoire habitée par d'autres personnages.

Et si même on se limite à la production acousmatique montréalaise, j'aimerais qu'on m'explique ce qu'il faut entendre par «stagnation». Bach a fait du Bach toute sa vie, Mozart du Mozart ou Ravel du Ravel. S'agissait-il de stagnation? Une pensée, une langue, un concept cohérents ne sont pas si vite épuisés : Bach, Mozart, Ravel utilisaient le système tonal qui est encore aujourd'hui celui de bien des œuvres occidentales, notamment de la plupart des musiques populaires. Stagnation? Depuis des siècles et à toutes les époques, les écrivains d'un même pays se servent de la même langue, progressivement évoluante, pour écrire des chefs-d'œuvre originaux. Stagnation? De la même façon, la musique acousmatique est un mode de pensée, pas une mode musicale. C'est ce que j'ai tenté d'illustrer dans une œuvre, le *Cycle du son*, basée sur une étude de Pierre Schaeffer de 1959 : l'essence et les principes de la musique concrète y sont évidents sous une écriture électroacoustique qui fait appel aux sonorités et aux technologies les plus récentes.

Le mythe qui consiste à n'accorder de crédit qu'à la tendance en vogue pour la seule raison qu'elle est la dernière en date est une erreur aussi grave que de s'enfermer dans le passé pour la raison inverse. C'est un conditionnement de consommateur qui est né au milieu du siècle dernier avec l'industrie de l'objet jetable et dont la fugacité des systèmes informatiques actuels constitue une sorte d'apothéose. Ce qui peut, à la rigueur, être justifié pour la technologie et le commerce a contaminé le domaine de la pensée et celui de l'art. C'est ainsi qu'on assiste sur les forums Internet de musique électroacoustique à des querelles récurrentes sur l'académisme, car on est toujours académique pour quelqu'un. Tout modèle qui perdure est académique, précisément parce qu'il est devenu un modèle; il doit donc être abandonné au nom de l'inédit. L'audace d'hier cesse d'être audacieuse parce qu'elle ne choque plus, elle est intégrée et devient un nouveau classicisme. Mais, après tout, n'est-ce pas le but poursuivi? Les époques classiques constituent un aboutissement, une maturité, et ne sont généralement pas réputées pour leur médiocrité. «L'essence du classicisme est de venir après», dit Valéry. Ce qui ne signifie pas immobilisme. Car ainsi va la musique depuis ses origines, de la rupture à la stabilité et inversement. Mais à l'âge du gaspillage et de la surconsommation, on ne s'étonnera pas que les nouveautés aient la vie courte.

Et puis, l'Amérique du Nord a une propension à parer la chose nouvelle de toutes les vertus, postulant que ce qui est nouveau ne peut être que meilleur. «Ce qui fait la grandeur de l'Amérique du Nord, écrivait une agence de publicité en 1955, c'est la création de besoins et de désirs, la création du dégoût pour tout ce qui est vieux et démodé.» On ne saurait mieux dire. En détruisant ses buildings avant qu'ils aient cent ans, l'Amérique aura-t-elle un jour un passé ? D'ailleurs, le souhaite-t-elle ? Une telle fascination pour le futur trouve son application artistique dans un besoin compulsif de tentatives éphémères, quitte à rester à la surface des choses au lieu de prendre le temps d'en explorer les profondeurs. À l'inverse, il me semble plus créatif de « travailler son instrument », comme disait le père de Schaeffer, au lieu de sauter d'une mode à l'autre en négligeant l'essentiel, c'est-à-dire le lent questionnement de soi. « Le rôle des artistes de notre époque n'est plus d'être d'avant-garde, terme militaire. Le rôle des artistes est au contraire d'être des "résistants", de construire sur ce qui a été détruit, de faire marche arrière avec les machines pour retrouver la passion, la spiritualité », estimait François Bayle en 2000 lors d'une conférence à Cologne. Si c'est cela, la stagnation, alors nous n'avons pas à en rougir.

Maxime McKinley : Il semble que pour certains, « musique électroacoustique de concert » rime avec « esthétique acousmatique ». Ainsi, lorsque la musique acousmatique est remise en question, bien souvent, c'est en réalité la notion du « concert classique électroacoustique » qui est remise en cause. Qu'en pensez-vous ?

Francis Dhomont : Il est clair que le concert acousmatique perpétue la tradition de ce que vous nommez le « concert classique électroacoustique », pour la simple raison que c'était, dès l'origine, sous cette forme que se manifestait la musique nouvelle. Mais il y a belle lurette que la musique électroacoustique cherche à s'évader du cadre traditionnel dévolu aux concerts classiques, qu'il

s'agisse du lieu, de la présentation, de l'accueil, du décor ou du cérémonial. La musique contemporaine instrumentale en fait d'ailleurs autant. Cela répond essentiellement à la quête d'un public que dissuadent souvent la nature expérimentale des œuvres et leur présentation sévère. On essaye alors de désacraliser le concert électroacoustique afin de le faire apparaître comme convivial et accessible à tous. Certaines initiatives se révèlent équilibrées, le festival Rien à voir était de celles-là. D'autres le sont moins. À trop vouloir plaire, le risque est effectivement d'évacuer le « concert classique » à force de le nier en le donnant pour autre qu'il n'est. C'est ce qui se passe lorsqu'on s'inspire des méthodes marketing pour présenter l'électroacoustique comme un divertissement sympa, festif, un événement à sensation. On espère attirer ainsi un plus large public en trouvant des titres accrocheurs, en offrant des gadgets, des boissons, en faisant rire, en étant « relax », branchés, ludiques. Mais cela ne suffit pas et, pour que le succès soit vraiment assuré, il faut aussi modifier le contenu, remplacer des œuvres, un peu trop savantes pour le public ciblé, par des musiques plus directes, mâtinées de références à l'air du temps. C'est là que le bât blesse. De concessions en renoncements le « concert classique de musique électroacoustique » s'effiloche. Il est progressivement dénaturé, vidé de son sens, congédié. L'enjeu de cette dérive, c'est effectivement la disparition du concert électroacoustique spéculatif peu rentable au profit du récréatif sensiblement plus payant. La tentation de séduire est forte et le danger bien réel. Mais refouler le concert « savant » dans les studios et les universités accentuerait sa ghettoïsation ; ce serait une perte culturelle grave car priver le public d'un accès à l'actualité de la recherche vivante aurait pour conséquence de l'infantiliser. Le plus raisonnable semble être une coexistence complémentaire des deux types de manifestation.

Maxime McKinley : Selon vous, l'écoute acousmatique s'applique-t-elle uniquement à la musique issue de la démarche concrète, ou est-il possible d'écouter et de penser toute forme de musique — en particulier la musique instrumentale — de manière acousmatique ?

Francis Dhomont : Dans son acception première, l'acousmatique est une attitude d'écoute. Elle est liée à la réduction phénoménologique que Pierre Schaeffer a appliquée à la notion d'« écoute réduite », laquelle consiste à écouter le son pour lui-même, sans tenir compte de son origine. Il est donc effectivement possible d'écouter tout phénomène sonore, donc toute musique, suivant cette intentionnalité. C'est ce que Schaeffer nomme « l'intention d'entendre ». Autrement dit, si j'écoute une œuvre orchestrale, je peux m'attacher aux seuls critères typo-morphologiques du sonore et en percevoir les masses, les factures, les entretiens, les grains, les allures, les timbres harmoniques, les profils, etc., au lieu d'identifier mentalement les timbres instrumentaux, les thèmes mélodiques et leurs variations, le jeu des modulations, l'écriture rythmique, ce qui correspond à « l'écoute ordinaire ». Mais, sauf à en faire une analyse particulière, cela n'aurait guère de sens pour le mélomane car une œuvre instrumentale n'est pas conçue suivant cette approche. Il en va de même pour les œuvres de conception acousmatique que l'on tente d'écouter d'une oreille instrumentale. Le récent ouvrage de Stéphane Roy, *L'analyse des musiques électroacoustiques : modèles et propositions*[2], développe ces questions de façon pénétrante.

Maxime McKinley : Lorsque vous entendez des œuvres de nature acousmatique de jeunes compositeurs talentueux, éprouvez-vous une déception, face au fait que l'esthétique acousmatique soit de plus en plus dissoute dans d'autres pratiques électroacoustiques ?

Francis Dhomont : Bien sûr, d'autant plus que cette « dissolution » ne donne pas toujours des résultats probants. Mais découvrir un talent acousmatique chez de jeunes compositeurs me confirme, comme je tentais de l'exprimer dans mes premières réponses, que le terreau est toujours riche pour qui sait y planter de bonnes graines et que c'est une contrevérité de le dire épuisé. En ce qui me concerne, il est vrai que je ne doute pas de la nécessité de composer des œuvres purement acousmatiques, c'est d'ailleurs ce qui constitue l'essentiel de ma production. Mais je comprends que de jeunes compositeurs, confrontés à un abondant répertoire, soient tentés de chercher leur propre voie dans divers métissages. Beaucoup, néanmoins, semblent encore trouver leur miel dans une approche orthodoxe, si j'en juge par l'énorme quantité d'œuvres qui parvient aux divers concours de composition acousmatique.

Maxime McKinley : Face aux pratiques électroacoustiques récentes, au nom desquelles Réseaux met un terme à la formule *Rien à voir*, éprouvez-vous une exaltation quelconque, des espérances ?

Francis Dhomont : Il faut toujours faire confiance à ceux qui cherchent et qui mettent en danger leur confort pour faire bouger les choses. J'ai donc un a priori favorable, d'autant plus que *Réseaux* ne nous a jamais déçus jusqu'à présent. C'est donc *oui* pour les espérances. En revanche, pour l'*exaltation* je n'en découvre pas beaucoup de motifs autour de moi. La raison en est peut-être que je flaire, derrière certaines tentatives actuelles, l'obsédant désir de plaire, ici et maintenant, plutôt que l'enthousiasme de la recherche. Il ne faut pas généraliser, mais succès rapide, popularité, réussite sociale, profit ont tendance à s'imposer comme les valeurs de l'époque. Cet alignement de certains artistes sur le credo actuel de nos sociétés est humainement compréhensible. Mais, au risque de faire vieux, je continue de penser que c'est l'artiste qui peut et doit remettre en question la perversité de l'ordre établi au lieu d'en devenir le débiteur. Au moment où nous assistons partout à une mise à sac de la culture, c'est aux artistes de rompre avec le diktat des marchands plutôt que de faire allégeance. Dans un récent article[3], Guy Scarpetta oppose deux idées de la culture « [...] l'une qui la définit comme une mission publique, au service de l'art et de la création ; l'autre, qui a intériorisé l'absorption de l'art dans la communication, le spectacle, le festif, le tourisme, l'industrie du divertissement ». C'est parce que cette dernière idée me paraît assez menaçante que mon exaltation reste très modérée.

Je crois que le développement *quantitatif* de la pratique électroacoustique est irréversible. Une information parue récemment affirmait que les compositeurs électroacoustiques amateurs étaient, en France,

quelques dizaines en 1970, un millier en 1980 et qu'ils seraient près d'un million aujourd'hui. Progression exponentielle qui se vérifie probablement dans d'autres pays. Mais quid du *qualitatif* ? Peut-on espérer que l'accroissement pléthorique du nombre de compositions se traduise par un accroissement proportionnel du nombre de chefs-d'œuvre ? Ce serait logique. Mais, comme il est également logique qu'il s'accompagne d'une augmentation tout aussi proportionnelle de productions médiocres, le pronostic reste incertain. Le risque, comme cela se constate déjà dans bien des symposiums, c'est que l'avalanche de pièces insignifiantes recouvre les concerts d'une écrasante chape d'ennui et fasse fuir le public des non-spécialistes. C'est pourquoi il me semble vital de retrouver une véritable exigence de qualité. Ce qui a d'ailleurs toujours inspiré la politique des Rien à voir. Je parle, bien sûr, de la *qualité intrinsèque* des musiques présentées et non du recours à des mises en scènes publicitaires qui ne sont que des cache-misère. À défaut de cette exigence, l'électroacoustique — acousmatique incluse — risque de périr étouffée sous cette prolifération inorganisée, victime de son succès, en quelque sorte, par excès de l'offre mais déficit de la demande.

NOTES

1. « De la musique et des images », la citation survient à la page 41 de *Circuit*, vol. 13, n° 3, 2003, p. 41-49.

2. [ndlr] Paru chez L'Harmattan, 2003.

3. « Le grand retour des intermittents du spectacle », *Le Monde diplomatique,* mai 2004.

Les illustrations

Carlito Dalceggio

Originaire du Canada, Carlito Dalceggio vit et travaille à Paris. Son atelier se déplace au gré de ses envies ; dans les dix dernières années, il s'est déjà établi à Bali, Mexico et New York. Depuis 1997, Carlito Dalceggio aime faire des performances « live painting » devant public. Il a participé à différentes soirées d'ouverture pour des évènements d'envergure comme les inaugurations des nouveaux spectacles du Cirque du Soleil, ainsi qu'à des soirées-bénéfices pour des œuvres de charité.

L'œuvre picturale s'inspire de symboles vernaculaires ; il les isole pour leur donner un sens nouveau et les juxtapose afin de faire naître une nouvelle symbolique. Ses tableaux reflètent des motifs récurrents ; la main, par exemple, représente pour l'artiste un puissant symbole du caractère humain, tandis que le cercle appelle à l'érotisme absolu de la ligne parfaite. Produisant ses œuvres par un trait continu symbolisant l'infini, Carlito Dalceggio assure un rythme pictural à la lecture du tableau. De plus, il affirme que son choix graphique du *couche sur couche* donne des effets de dimension à la couleur, ajoutant ainsi une texture intrigante à la surface bidimensionnelle.

Les œuvres qui illustrent ce numéro sont exposées à la Galerie [sas] (<www.galeriesas.com>) à Montréal. L'ensemble des œuvres présentées dans ce numéro de Circuit sont la propriété exclusive de Carlito Dalceggio. L'ensemble des photographies sont d'Olivier Bousquet, sauf celle de la page 94, de Stéphane Cocke.

Les auteurs

Réjean Beaucage

Après être passé par le baccalauréat en études littéraires à l'Université du Québec à Montréal, Réjean Beaucage s'est tourné simultanément vers la musique, en tant que batteur autodidacte, et vers la radio, principalement à CIBL FM, où il a été recherchiste, metteur en ondes, réalisateur et animateur de 1985 à 2002. Se tournant ensuite vers le journalisme écrit, il collabore régulièrement depuis mai 2001 à l'hebdomadaire montréalais *Voir* et est depuis mai 2003 rédacteur en chef adjoint du mensuel canadien *La Scena Musicale*. Depuis 2000, on peut lire ses articles dans *Circuit* et il est membre du comité de rédaction de la revue depuis 2003. On trouve aussi à l'occasion sa signature dans *Improjazz* (France) et *Elle-Québec*. Il prépare actuellement un livre sur la Société de musique contemporaine du Québec.

Jean Boivin

Ancien rédacteur en chef de *Circuit*, Jean Boivin est professeur de musicologie à l'Université de Sherbrooke depuis 1992, et directeur du Département de musique de 2003 à juin 2006. Il détient un diplôme d'études approfondies de l'Université de Paris IV-Sorbonne et un doctorat en musicologie de l'Université de Montréal. Il a été une dizaine d'années à l'emploi du Service des émissions musicales radio de Radio-Canada, à Montréal. Il s'intéresse à divers aspects de l'histoire de la musique contemporaine québécoise et européenne. Son livre *La classe de Messiaen* (Paris, Bourgois, 1995) lui a valu plusieurs prix. Il a participé à plusieurs colloques internationaux et ses textes ont paru chez des éditeurs de renom (Garland, Einaudi, Actes Sud, Éditions de l'IQRC, et bientôt Ashgate). Le prix de l'article de l'année lui a été décerné à deux reprises par le Conseil québécois de la musique. Il a été le président de la Société québécoise de recherche en musique de 1998 à 2001.

Marc Couroux

Né à Montréal en 1970, Marc Couroux est actif à la fois comme pianiste se spécialisant dans la musique contemporaine et comme artiste multimédia. En tant qu'artiste de la vidéo, il cherche à créer des espaces métaphoriques dans lesquels les problématiques sociopolitiques peuvent être traitées. Son installation *Rockford — Keep on Rolling* était récemment présentée au Drake Hotel de Toronto, ainsi qu'au Transmediale Festival de Berlin. Il a créé des œuvres pour le Festival International Musique Actuelle de Victoriaville, le Centre for Contemporary Arts de Glasgow, Vancouver New Music et la Société des arts technologiques (SAT) de Montréal. En 2003, il organisait le festival FreeRadicals consacré aux œuvres multidisciplinaires expérimentales. En 1997, il fondait l'Ensemble KORE avec le compositeur Michael Oesterle afin d'encourager une relation vivante entre compositeur et auditeur et de ramener l'esprit créateur au centre du concert.

Nicolas Donin

Nicolas Donin, musicologue, est chercheur à l'Ircam (responsable de l'équipe Analyse des pratiques musicales). Ses travaux portent principalement, d'une part, sur l'histoire du public et de l'écoute des musiques contemporaines en France et en Allemagne depuis la fin du XIXe siècle ; et, d'autre part, en collaboration avec Jacques Theureau (Ircam-CNRS), sur une anthropologie cognitive des pratiques musicales dites savantes (en particulier la composition). Il est membre du comité de rédaction de *Circuit, musiques contemporaines* depuis 2001.

Pierre Filteau

Après une formation collégiale en sciences pures, Pierre Filteau, né en 1954, se tourne vers la géographie, l'étude des arts et traditions populaires et l'anthropologie. Détenteur d'un baccalauréat ès arts de l'Université Laval, il collaborera à un projet de cartographie illustrant les ressources patrimoniales des régions québécoises pour le compte du ministère des Affaires culturelles du Québec. Disquaire en chef du rayon de musique classique chez l'un des plus importants disquaires de la ville de Québec de 1987 à 1994, il agit depuis 1995 à titre de représentant d'éditeurs de disques et DVD vidéos de musique classique de renommée internationale.

Jonathan Goldman

Rédacteur en chef de la revue *Circuit*, Jonathan Goldman a complété des études en philosophie et en mathématiques à l'université McGill, pour ensuite obtenir une maîtrise en musicologie de l'Université de Montréal en 1999. Auteur d'une thèse sur la forme dans les œuvres de Pierre Boulez, il termine actuellement ses études doctorales en musicologie sous la direction de Jean-Jacques Nattiez, dont il est également l'assistant de recherche. Jonathan Goldman a signé la préface aux *Leçons de musique* (2005) de Pierre Boulez.

MAXIME MCKINLEY

Maxime McKinley est un compositeur né dans les Cantons de l'Est, au Québec. Il a reçu plusieurs commandes, bourses et distinctions, dont quatre prix au concours national Jeunes compositeurs de la Fondation SOCAN et un prix au Concours de composition de l'Orchestre de l'Université de Montréal (2005). Parmi les ensembles ayant récemment interprété ses œuvres se trouvent l'Esprit Orchestra de Toronto, l'Orchestre de la francophonie canadienne, l'Ensemble comtemporain de Montréal et le Trio Hochelaga. Ses textes ont paru dans diverses revues québécoises, dont *Circuit* et *Le Quartanier*. Diplômé du Conservatoire de Montréal, il prépare actuellement un doctorat en composition à l'Université de Montréal.

BERNARD STIEGLER

Bernard Stiegler, directeur du département du développement culturel au Centre Pompidou, est philosophe et docteur de l'École des Hautes Études en Sciences Sociales. Il a été directeur de l'Ircam, directeur général adjoint de l'Institut National de l'Audiovisuel, directeur de recherche au Collège international de philosophie, professeur à l'UTC (Université de Compiègne) et directeur de l'unité de recherche Connaissances, Organisations et Systèmes Techniques, qu'il a fondée en 1993. Il est l'auteur de *La technique et le temps*, ouvrage en cinq volumes dont trois sont parus aux éditions Galilée. Son ouvrage *L'esprit perdu du capitalisme*, paru en 2006, est le troisième tome de sa série *Mécréance et discrédit* ; *La catastrophè du sensible* (2005), constitue le deuxième tome de sa série *De la misère symbolique*. Il a publié une centaine d'articles et participé à de nombreux ouvrages collectifs.

HUGUES VINET

Hugues Vinet est, depuis 1994, directeur scientifique de l'Ircam, dont il dirige le département Recherche et développement et l'Unité mixte de recherche Sciences et technologies de la musique et du son (STMS) associant l'Ircam, le CNRS et le ministère de la Culture et de la Communication. Il assure la coordination des projets européens IST CUIDADO (Content-based Unified Interfaces and Descriptors for Audio/music Databases available Online) et SemanticHIFI (Browsing, listening, interacting, performing, sharing, on future HIFI systems). Ses domaines d'intervention ont successivement porté sur les systèmes temps-réel, le traitement du signal audionumérique, les interfaces homme-machine, l'ingénierie des connaissances musicales, et, plus généralement, différentes synthèses sur les relations entre recherche scientifique, développement technologique et création musicale. De formation scientifique et musicale, il a précédemment travaillé au Groupe de recherches musicales de l'Institut National de l'Audiovisuel (Ina-GRM) en qualité d'ingénieur en chef. Il y a animé de 1987 à 1994 les activités de recherche et développement, ayant notamment abouti au développement de la station audionumérique temps réel SYTER et à la réalisation des logiciels GRM Tools (<http://www.grm-tools.org>), Acousmographe et MIDI Formers. Il est membre de nombreuses instances scientifiques et, depuis 2006, directeur régional Europe de l'International Computer Music Association (ICMA).

Résumés • *Abstracts*

Jonathan Goldman

Quelques sillons...

Faisant allusion au questionnement fécond qui a eu lieu entre les deux guerres à propos des conséquences, pour la composition musicale, de l'invention de la radiophonie, l'auteur présente le numéro en se demandant si le rapport entre la musique d'avant-garde de la deuxième moitié du xxᵉ siècle et les technologies de captation, de stockage et de diffusion du son a suffisamment été examiné. Malgré d'importantes contributions dans ce sens chez un Pousseur ou un Gould, l'avant-garde de l'après-guerre semble toutefois assigner au disque la vocation de simple document archivistique et non pas celle de moyen radicalement nouveau d'accéder à la musique. L'auteur résume comment chacune des contributions à ce numéro cerne de différentes manières les façons dont les nouvelles technologies ont le potentiel d'ouvrir de nouvelles voies à la production et à l'écoute de la musique.

A Few Grooves...

Noting the lively debates which took place between the wars about the consequences of the radio for musical composition, the author presents this issue by asking whether an equivalent questioning took place about the relationship between the technologies of recording and broadcasting of sound and avant-garde music of the second half of the 20ᵗʰ century. Important contributions (notably by Henri Pousseur and Glenn Gould) notwithstanding, the avant-garde seems to have assigned to the record the role of archival document rather than as a radically new means of accessing music. The author surveys the ways in which each of the contributions to this issue examine how new technologies have the potential to open new paths in musical composition and listening.

Pierre Filteau

Un historique des formats de reproduction

Il y aura bientôt cent trente ans qu'un homme gravait pour la première fois le son dans la matière grâce à l'invention du *phonographe*. Autour de cet appareil, qui sera transformé au cours des années, naîtra une industrie qui aura un impact sur la destinée musicale planétaire. Aujourd'hui dématérialisée, la musique se transmet dorénavant à la vitesse de la lumière optique, en tout lieu, en tout moment. L'auteur présente un survol historique des différents supports audio employés au fil des ans, leur évolution et leur rayonnement jusqu'à nos jours.

Historical Timeline of Audio Formats

It was nearly 130 years ago that, with the invention of the phonograph, *humankind etched sound for the first time onto matter. Over the years, an entire industry has been created around this device, which has had a major impact on the planet's musical destiny. In its present dematerialized state, music can now be transmitted at the speed of light, at all places and at all times. The author presents a historical survey of the different sound recording media, their evolution and development.*

Bernard Stiegler

L'armement des oreilles : devenir et avenir industriels des technologies de l'écoute

L'auteur explore les conséquences pour la musique de son entrée dans l'ère machinique du son, qui comprend, entre autres, la désinstrumentalisation des oreilles, et la possibilité d'une écoute analytique, menant vers les moyens numériques qui permettent une nouvelle projection graphique du temps musical. Se basant sur des textes fondamentaux, notamment de Bartók et d'Adorno, sur les conséquences de la reproduction analogique du son sur les habitudes d'écoute, sur l'analyse musicale et sur le concept d'écriture même, l'auteur s'interroge sur les façons dont la science de la musique en général, ou son intelligence globale, a été et sera transformée par la numérisation, et notamment par une nouvelle représentation du temps musical.

Arming the Ears: the Industrial Future of Listening Technologies

The author explores the consequences for music of its entry into the machine-age of sound, which involves, among other things, the de-instrumentalization of the ears, and the possibility of an analytical listening which usher in the invention of digital tools allowing for a new graphic projection of musical time. Referring to important texts, notably by Bartók and Adorno, on the consequences of analog sound reproduction for listening habits, musical analysis and even for the concept of writing, the author looks at the ways the science of music in general has been and will be transformed by its digitization, and notably, by a new form of representation of musical time.

Réjean Beaucage

Voir la musique aujourd'hui ?

Prenant pour point de départ un article de Jean-Wilfrid Garrett publié en 1950 dans la revue *Polyphonie*, article dans lequel l'auteur se désole de devoir constater le refus (ou l'incapacité) d'adaptation des compositeurs de musique contemporaine au média radiophonique, Réjean Beaucage se demande si ces derniers ne se préparent pas une nouvelle fois à rater le rendez-vous avec les nouvelles technologies, celles, cette fois-ci, qui intègrent l'image et le son. Examinant quelques œuvres de compositeurs de musique contemporaine publiées ces dernières années sur DVD-vidéo ambiophonique (Tristan Murail, Fausto Romitelli, Steve Reich, etc.), il constate que la production est encore, de ce côté, très mince, et enjoint les compositeurs, comme le faisait Garrett il y a déjà plus d'un demi-siècle, à « ne pas se contenter d'illustrer conventionnellement d'arides théories mais d'en rechercher, *parallèlement*, l'application au monde vivant ».

Viewing Music Today?

Taking as its starting point an article by Jean-Wilfrid Garrett published in 1950 in the journal Polyphonie, *in which the author deplores the refusal (or incapacity) of composers of contemporary music to adapt to the medium of radio, Réjean Beaucage wonders if today's contemporary composers are also well on their way to missing the boat once again, this time with the new technologies which integrate sound and image. Examining several works by contemporary music composers published in the last several years on ambiophonic video-*DVD *(Tristan Murail, Fausto Romitelli, Steve Reich, etc.), the author notes that productions of this kind are still few and far between, and enjoins composers— in the manner of Garrett a half-century earlier—"not to be content to illustrate in a conventional manner some arid theory, but to search, in parallel, its application to the living world."*

Nicolas Donin

Pour une « écoute informée » de la musique contemporaine : quelques réalisations récentes

L'une des raisons de l'actuelle difficulté d'accès à la musique contemporaine pour un large public est la quasi inexistence d'outils d'écoute contemporains, permettant une écoute dite « active » et non pas une simple consommation passive. L'auteur fait le bilan de l'un des projets allant dans cette direction, réalisé par l'équipe de recherche « Analyse des pratiques musicales » dont il est responsable à l'Ircam. Une étude approfondie, reliant analyse musicale et anthropologie cognitive, sur l'œuvre *Voi(rex)* de Philippe Leroux aboutit à un DVD-Rom interactif comportant des documents hypermédia articulant esquisses, fichiers sonores, entrevues, animations, extraits de partitions, etc., et qui pose de différentes manières la question de la transmissibilité de l'écoute de son œuvre par le compositeur. Ces « guides d'écoute contemporains », en proposant des resynthèses plus ou moins fines du travail compositionnel, ont pour vocation d'« informer » leurs lecteurs-auditeurs, c'est-à-dire à la fois de leur fournir des informations précises et d'in-former leur écoute.

For an "Informed Listening" of Contemporary Music: a Few Recent Projects

One of the reasons for the current accessibility-deficit of contemporary music for a large audience is the near inexistence of contemporary listening tools, which allow for active listening rather than mere passive consumption. The author outlines one of the projects undertaken by his research team "Analyse des pratiques musicales" at IRCAM, *which goes in this direction. An in-depth study, uniting music analysis and cognitive anthropology, of the work* Voi(rex) *by Philippe Leroux resulted in the production of an interactive* DVD-Rom *containing hypermedia documents which include sketches, sound files, interviews, animations, score excerpts, etc. The theme of the possibility of transmission of the way a composer listens to his own work is thus explored. These 'contemporary listening guides', by offering re-syntheses of the composer's activity with varying degrees of complexity, aim to 'inform' their readers-listeners, i.e. both to supply precise information and to 'give form' to ways of listening.*

Hugues Vinet

Le projet SemanticHIFI :
manipulation par le contenu d'enregistrements musicaux

Le projet européen SemanticHIFI vise la préfiguration des chaînes hi-fi de demain, proposant aux mélomanes des fonctions inédites de gestion et de manipulation par le contenu des enregistrements musicaux. Les limites des équipements existants sont liées à celles des formats de diffusion de la musique qui, se présentant depuis plusieurs décennies sous la forme de signaux d'enregistrements stéréophoniques, n'autorisent que des modes de manipulation élémentaires. L'extension des supports d'information musicale à des représentations plus riches, issues soit directement de processus de production renouvelés ou d'outils d'indexation personnalisés, rend possible la réalisation de fonctions innovantes : classification personnalisée, navigation par le contenu, spatialisation sonore, composition, partage sur les réseaux préservant les droits liés aux œuvres, etc. Ces fonctions sont le résultat d'activités de recherche menées dans le cadre du projet et se situant à la pointe de plusieurs disciplines : analyse et traitement des signaux audionumériques, ingénierie des connaissances musicales, interfaces homme-machine, architectures de réseaux distribuées. Le projet prévoit également une phase d'intégration, visant la réalisation de prototypes d'application, permettant de valider l'ensemble de ces fonctions dans un environnement technique unifié et compatible avec les contraintes du marché de l'électronique grand public. L'auteur propose une vue d'ensemble du projet, dont il assure la direction.

The SemanticHIFI Project: Content-Based Manipulation of Recorded Music

The SemanticHIFI European project aims at designing and prototyping tomorrow's home audio systems, which will provide music lovers with innovative functions of access and manipulation of musical content. The limitations of current equipment are mainly related to those of the music distribution media (audio recordings in stereo format), with poor control features and interfaces. Enabling the manipulation of richer media and related metadata (either distributed with the audio recordings or computed by the user through dedicated indexing tools) opens a wide range of new functionalities : personal indexing and classification of music titles, content-based browsing in personal catalogues, browsing within titles with automatic segmentation and demixing tools, 3D audio rendering and assisted mixing features, etc. These functions are the result of research activities undertaken at the intersection of several disciplines : analysis and digital audio signal processing, engineering of musical knowledge, man-machine interfaces, architecture of distributed networks. The project also plans an integration phase, which aims at realizing application prototypes, which will aim at verifying all of its functions in a unified technical environment which is compatible with the constrains of the household electronics market. The author offers a description of this project.

Jonathan Harvey in Conversation with Nicolas Donin

Spatialization as a Compositional Tool
and Individual Access to Music in the Future

Beginning by recounting his early contact with Stockhausen's use of moving spatialisation as a compositional parameter, composer Jonathan Harvey discusses how spatial considerations have played a role in his thought (notably under the influence of Bachelard), as well as in his music (especially through the use of the *Spatialisateur*). He then shares his thoughts on the role of the concert, the domestic context of listening, the possibilities of combining sound and image in home cinema systems, and the ways in which technology can be used as a pedagogical tool for complex music.

La spatialisation comme outil de composition et accès individuel à la musique

Depuis ses premiers contacts avec les réalisations de Stockhausen se servant de la spatialisation mobile comme paramètre musical à part entière, des considérations spatiales jouent un rôle prépondérant dans la pensée — notamment sous l'influence de Bachelard — ainsi que dans la musique — particulièrement grâce au spatialisateur — de Jonathan Harvey. Le compositeur discute la fonction du concert électroacoustique, le contexte domestique d'écoute, les possibilités pour l'avenir de joindre le son et l'image dans des appareils du type cinéma maison, et les façons dont la technologie peut être exploitée comme outil pédagogique au service d'une musique complexe.

Marc Couroux

Some Ideas about Viewer Re-Mobilization from a Practice-in-Progress

This article presents a practical view of one artist's dealings with the social and political aspects of the concert, seen through a variety of works realized between 1999 and 2006. Couroux's work is centered around the reintegration of the listener-viewer into the social event, specifically the concert format, which has functioned as a control group, enabling him to test some ideas about viewer mobilization. Exploring the potential of art as a motor for social investigation, he exploits the perceptual and cultural prejudices of the viewer to create a productive, creative zone of inquiry. A brief history of anti-virtuosity begins the article (with examples from Xenakis, Barrett, Ferneyhough and Glenn Gould, all of whom have called into question in various ways the totalized persona of the performer), ushering in the feedback processes of his work *American Dreaming* and the anti-absorptive strategies which underlie *le contrepoint académique* (sic). Finally, the position of the listener is problematized in two works : *Blowback at Breakfast*, in which he/she is enmeshed in a panopticon-like voyeuristic bind with the performer, and *Watergating*, in which shifting modes of aurality force a deconstruction of the listening process itself.

Quelques idées sur la re-mobilisation du spectateur recueillies d'une pratique en cours

Cet article fait état d'un regard pratique posé par un artiste composant avec les aspects sociaux et politiques du concert, à travers un certain nombre d'œuvres réalisées entre 1999 et 2006. Le travail de Couroux se concentre sur la réintégration de l'auditeur-spectateur dans un événement social, plus spécifiquement le cadre du concert, qu'il utilise comme groupe témoin lui permettant de mettre à l'épreuve ses idées sur la mobilisation du spectateur. Explorant le potentiel de l'art en tant que moteur d'investigation sociale, il exploite les préjugés à la fois perceptuels et culturels qu'entretient le spectateur, dans le but de créer un environnement de recherche productif et créateur. L'article débute par un bref historique de l'anti-virtuosité (avec des références à Xenakis, Barrett, Ferneyhough et Gould, chacun ayant remis en question, de diverses façons, la figure de l'interprète), introduisant les processus de feedback de son œuvre American Dreaming *et les stratégies anti-absorptives qui sous-tendent le contrepoint académique (sic). Enfin, la position de l'auditeur est problématisée dans deux œuvres :* Blowback at Breakfast, *dans lequel l'auditeur est relié à l'interprète par un voyeurisme quasi panoptique, et* Watergating, *dans lequel les nombreux changements de modes d'oralité obligent à la déconstruction du processus d'écoute.*

Jean Boivin

Les musiques classique, moderne et contemporaine larguées par la radio publique : le cas d'Espace musique

À l'automne 2004, la Société Radio-Canada remplaçait la Chaîne culturelle par une nouvelle chaîne radio vouée aux émissions musicales, Espace musique, dont le ton et le contenu allégés ont suscité de vives réactions dans le milieu musical québécois. La place accordée à la musique classique, mais aussi aux commentaires avertis axés sur les œuvres musicales et sur la vie culturelle en général s'y révèle considérablement réduite. Quant aux musiques nouvelles et contemporaines, elles se voient reléguées à la périphérie d'une programmation ouvertement populiste, éclectique et multiculturelle. Sur les ondes d'Espace musique, les véritables spécialistes de la culture sont de moins en moins appelés à commenter les réalisations artistiques marquantes ou émergentes, et à situer dans leur contexte les diverses démarches créatrices, d'ici ou d'ailleurs. Cette modification en profondeur de la radio publique canadienne de langue française, naguère de haut calibre mais jugée trop élitiste par ses dirigeants, répondrait à une volonté d'élargir la clientèle et de mieux témoigner de la diversité culturelle canadienne. Les conséquences à plus long terme paraissent toutefois inquiétantes, de nombreuses sociétés de concerts éprouvant déjà des difficultés à recruter un nouveau public. La Société Radio-Canada aurait-elle pris le mauvais virage, alors que de nouveaux moyens de diffusion de la musique se développent, y compris des stations de radio spécialisées, privées et accessibles uniquement sur la Toile ? Le soutien accordé durant plusieurs décennies aux créateurs et à leurs interprètes par les radios publiques, au Canada et ailleurs dans le monde occidental, aurait-il été en partie abandonné ? La musique contemporaine pourrait être l'une des principales perdantes de ce paysage radiophonique en rapide transformation. À titre d'exemple, les entrevues avec les compositeurs ont pratiquement été éliminées des ondes de la radio publique canadienne. Cotes d'écoute, commentaires d'auditeurs et citations de spécialistes de l'histoire de la radio appuient ce texte volontairement polémique en faveur d'une plus grande responsabilisation des dirigeants de la radio d'État, notamment en ce qui concerne le répertoire moderne et contemporain.

Classical, Modern and Contemporary Music Abandoned by Public Radio: the Case of Espace Musique

In the Fall of 2004, CBC replaced their French-language "Cultural Channel" by a new station, "Espace musique", devoted to musical programming. The light tone and content

*of this station has provoked lively reactions in the Quebec musical milieu. The time allot-
ted to classical music and also to informed commentary on musical works and on cultural
life in general is considerably reduced on this new station. As for new and contemporary
music, it is relegated to the margins of the eclectic, multicultural and overtly populist
programming. On the air, the veritable cultural specialists are ever less frequently called
upon to offer commentary on important or emerging artistic creations, and to contex-
tualize the various creative approaches of artists from here and abroad. This change in
the level of Canadian French-language public radio, previously of high calibre, but
judged too elitist by its directors, is purported to respond to a desire to better reflect
Canadian cultural diversity. The long term consequences, however, seem worrying : many
concert producers are already experiencing difficulty recruiting a new audience. Has CBC
taken a wrong turn, at a time when new means of broadcasting are being developed,
including the creation of specialized, private radio stations accessible on the Web? Is the
support which public radio has given over the last several decades to composers and performers in Canada and abroad being partially abandoned? Contemporary music could
be one of the principle losers in this radio landscape in rapid transformation. To give
but one example, interviews with composers have all but been abandoned from the
Canadian public airwaves. Audience ratings statistics, listeners' comments and quotations
from specialists are used in support of this deliberately polemical text which pleads for the
directors of state-funded radio to make responsible decisions, notably with regards to modern and contemporary repertoires.*

MUSIQUES CONTEMPORAINES

La revue CIRCUIT, créée en 1989 à l'initiative de Lorraine Vaillancourt, fondatrice et directrice artistique du Nouvel Ensemble Moderne (en résidence à l'Université de Montréal), et de Jean-Jacques Nattiez, son premier rédacteur en chef, publie en français et en anglais des articles, des documents et des dossiers sur la musique contemporaine qui se fait au Québec, en Amérique du Nord et ailleurs. Conçue à la fois comme une revue d'art et un instrument de réflexion esthétique, elle s'adresse à tous ceux qui se sentent concernés par les enjeux de la création musicale et artistique contemporaine. Résumés en français et en anglais. La revue paraît trois fois par année.

Abonnements :

Circuit, musiques contemporaines
Faculté de musique – Université de Montréal
C.P. 6128 succ. Centre-ville
Montréal (Québec) H3C 3J7

Tél. : (514) 343-6388
Fax : (514) 343-5727
Courriel : info@revuecircuit.ca

Pour la vente au numéro, voyez votre libraire habituel ou visitez :

www.revuecircuit.ca

Tous les abonnements annuels (du 1er septembre au 30 août) commencent avec le premier numéro de chaque volume.

Veuillez m'abonner à CIRCUIT

☐ vol. 16, 1-2-3 (2005-2006)   ☐ vol. 17, 1-2-3 (2006-2007)

Nom

Adresse

Pays   Code postal

Courrier électronique

Téléphone

Fax

☐ Chèque ci-joint   ☐ Mandat postal
☐ Visa   ☐ Mastercard

N°   Date d'expiration

	Canada	États-Unis	Autres pays
Numéro simple	18 $	22 $	28 $
Abonnement			
Individus	45 $	45 $	60 $
Institutions	87 $	87 $	114 $
Étudiants	33 $	33 $	50 $

(photocopie de carte d'étudiant)

Port compris.

DÉJÀ PARUS :

☐ vol. 1, n° 1 (1990) Postmodernisme
☐ vol. 1, n° 2 (1990) Montréal musiques actuelles
☐ vol. 2, n°s 1/2 (1991) Claude Vivier
☐ vol. 3, n° 1 (1992) Boulez au Canada : portrait d'impact
☐ vol. 3, n° 2 (1992) Opéra ? Gauvreau, Provost, Kagel
☐ vol. 4, n°s 1/2 (1993) Électroacoustique-Québec : L'essor
☐ vol. 5, n° 1 (1994) Gilles Tremblay : réflexions
☐ vol. 5, n° 2 (1994) Espace Xenakis
☐ vol. 6, n° 1 (1995) Tremblay/Varèse/Messiaen
☐ vol. 6, n° 2 (1995) Musique actuelle ?
☐ vol. 7, n° 1 (1996) Ruptures ?
☐ vol. 7, n° 2 (1996) Serge Garant
☐ vol. 8, n° 1 (1997) Autoportraits. Montréal, l'après 1967
☐ vol. 8, n° 2 (1997) Québecage
☐ vol. 9, n° 1 (1998) L'air du temps
☐ vol. 9, n° 2 (1998) Carte blanche à Bouliane et Rea
☐ vol. 10, n° 1 (1999) Québec : génération fin de siècle
☐ vol. 10, n° 2 (1999) Les racines de l'identité
☐ vol. 11, n° 1 (2000) Analyses
☐ vol. 11, n° 2 (2000) Le quatuor à cordes selon Schafer
☐ vol. 11, n° 3 (2001) Perceptions
☐ vol. 12, n° 1 (2001) Henri Pousseur : visages
☐ vol. 12, n° 2 (2002) Opéra aujourd'hui
☐ vol. 12, n° 3 (2002) La route de soi
☐ vol. 13, n° 1 (2002) L'électroacoustique : à la croisée des chemins ?
☐ vol. 13, n° 2 (2003) Qui écoute ? 1
☐ vol. 13, n° 3 (2003) Électroacoustique : nouvelles utopies
☐ vol. 14, n° 1 (2003) Qui écoute ? 2
☐ vol. 14, n° 2 (2004) Montréal/Nouvelles Musiques
☐ vol. 14, n° 3 (2004) Frank Zappa : 10 ans après
☐ vol. 15, n° 1 (2004) Interpréter la musique (d') aujourd'hui
☐ vol. 15, n° 2 (2005) Carte d'identités
☐ vol. 15, n° 3 (2005) Souvenirs de Darmstadt
☐ vol. 16, n° 1 (2005) Écrire l'histoire de la musique du XXe siècle
☐ vol. 16, n° 2 (2006) Musique de création et jeunes publics

SMCQ

40 ans déjà !
Saison 2006-2007

Société de musique contemporaine du Québec
Walter Boudreau, directeur artistique

SÉRIE MONTRÉALAISE DE CONCERTS
- 14 décembre *Piano FORTE* (soirée 40e anniversaire)
- 30 janvier **Steve Reich**
- 7 mars *Méchants garcons !*

FESTIVAL MONTRÉAL/NOUVELLES MUSIQUES (MNM) – 3e édition
Du 24 février au 8 mars
Vive la liberté libre !

SMCQ JEUNESSE
- **Un compositeur à école :** ateliers de création musicale
- *La Fugue* Création en résidence d'un nouveau spectacle

ABONNEZ-VOUS : 514 843-9305
www.smcq.qc.ca

MEMBRE DU GROUPE SCABRINI

Québec, Canada
2006